QUE SAIS-JE ?

# *L'argot*

LOUIS-JEAN CALVET

*Deuxième édition corrigée*

*8e mille*

## DU MÊME AUTEUR

AUX ÉDITIONS PAYOT

*Roland Barthes, Un regard politique sur le signe,* 1973.
*Linguistique et colonialisme, petit traité de glottophagie,* 1974.
*Pour et contre Saussure,* 1975.
*La production révolutionnaire : slogans, affiches, chansons,* 1976.
*Les jeux de la société,* 1978.
*Langue, corps, société,* 1979.
*Chanson et société,* 1981.
*L'automne à Canton,* 1986.
*La guerre des langues et les politiques linguistiques,* 1987.
*Histoires de mots,* 1993.
*Les voix de la ville, introduction à la sociolinguistique urbaine,* 1994.

AUX ÉDITIONS DU SEUIL

*Cent ans de chanson française* (en collaboration), 1972.

AUX ÉDITIONS SEGHERS, COLL. « POÉSIE ET CHANSON »

*Pauline Julien,* 1974.
*Joan Pau Verdier,* 1976.

AUX PRESSES UNIVERSITAIRES DE FRANCE

*Les sigles,* 1980.
*Les langues véhiculaires,* 1981.
*La tradition orale,* 1984.
*La (socio)linguistique,* 1993.
*Les politiques linguistiques,* 1995.

AUX ÉDITIONS FLAMMARION

*Roland Barthes,* 1990.

AUX ÉDITIONS LIEU COMMUN

*Georges Brassens,* 1991.

AUX ÉDITIONS PLON

*L'Europe et ses langues,* 1993.
*Histoire de l'écriture,* 1996.

ISBN 2 13 046098 4

Dépôt légal — 1re édition : 1994
2e édition corrigée : 1999, mars

# INTRODUCTION

Qu'est-ce que l'argot ? Les premiers mots connus, en français, pour désigner les formes linguistiques sur lesquelles porte ce livre sont *jargon* et *jobelin,* tous deux attestés au XVe siècle. Le premier, *jargon,* remonte à une racine onomatopéique, *garg,* qui désigne le gosier, et il signifiait au XIIe siècle « gazouillement », « babil ». Quant au second, *jobelin,* on le fait généralement remonter à *jobe,* qui signifiait au XVe siècle « niais », « imbécile » (par référence à Job et aux railleries dont il était l'objet) et il est sans doute à l'origine de notre moderne *jobard.* Cette étymologie permet à Sainéan de gloser le mot comme « langage des *jobs* ou prétendus tels » : le langage que ceux qui jouent aux imbéciles pour mieux tromper leurs dupes. On peut invoquer à l'appui de cette thèse le fait qu'on trouve au XVIIe le mot *bigorne* qui désigne à la fois l'imbécile et l'argot : *rouscailler bigorne,* « parler jargon ». Mais ce terme sera d'un usage très bref, vite remplacé par *argot.* On a par ailleurs baptisé l'argot *langue verte* (l'expression est datée de 1852) avec deux connotations différentes, l'une renvoyant à la langue des jeux (par référence au tapis vert) et l'autre à la rudesse (qu'exprime par exemple l'adverbe *vertement* dans une phrase comme *parler vertement*) : la langue verte est ici conçue comme langue de tricheurs mais aussi comme langue rude.

Qu'en est-il dans les autres langues ? Il n'est bien entendu pas question d'essayer de prendre ici en compte toutes les langues du monde, mais simplement de signaler la façon dont certaines langues ont nommé cette forme linguistique.

L'espagnol a emprunté au français le mot *argot* tel quel (prononcé bien sûr à l'espagnole) et l'italien le mot *jargon* (sous la forme *gergo*) pour désigner la même chose. L'anglais *slang,* « argot », est dérivé du verbe *to sling,* dont le sens général est « jeter », mais que l'on emploie aussi dans l'expression *to sling the lingo,* « parler argot ». Il existe également un verbe, *to slang,* avec le sens de « engueuler », « passer un savon ». La forme est d'origine scandinave (on trouve *sleng* en norvégien, avec un sens proche, *slinga* en suédois avec le sens de « tordre »).

L'allemand *Rotwelsch* est composé de l'adjectif « rouge » et d'un mot désignant les romans (italiens, français...) et plus généralement les étrangers. Les dictionnaires glosent en général ce terme *Gaunersprache,* langage des escrocs, ou *Sprache der Gauber und Bettler,* langue des escrocs et des mendiants, ce qui situe à la fois le lieu social où serait parlé le Rotwelsch et peut-être les connotations idéologiques dans lesquelles baigne l'adjectif *welsch.* Selon certains, *rot* serait ici à entendre au sens de *rothaarig,* « rouquin », et le terme *Rotwelsch* signifierait donc « étranger rouquin », archétype de l'escroc. Changeons de continent et de famille linguistique : en chinois les noms de l'argot, *li yu* ou *li yan,* portent des connotations péjoratives évidentes. L'adjectif *li* signifie « inculte », « vulgaire », « grossier », tandis que *yu* signifie la « langue » et que *yan* signifie la « parole ».

Nous avons donc ici des nominations nettement péjoratives qui indiquent la distance que l'on prend avec cette forme linguistique.

Pour en revenir au français, c'est donc *jargon* qui désigne jusqu'au XVIIe siècle le « langage des gueux », date à laquelle apparaît le mot *argot,* avec d'abord le sens de corporation des gueux, puis de leur jargon (un argotier est d'abord un gueux, un voleur). Ces deux termes, *jargon* et *argot,* sont donc synonymes : le second a simplement remplacé le premier. Mais *jargon* n'a pas disparu pour autant : il subsiste en français commun sous sa forme d'origine et désigne en argot, sous la forme *jars,* l'argot : *entraver le jars* signifie encore aujourd'hui « comprendre l'argot ».

Nous avons donc aujourd'hui deux termes, *jargon* et *argot,* qui ont désigné successivement la même chose et qui aujourd'hui se sont spécialisés : l'*argot* est pour le *Dictionnaire Robert* « la langue des malfaiteurs, du milieu », tandis que le *jargon* est soit un « langage incompréhensible », soit un « langage particulier à un groupe et caractérisé par sa complication, l'affectation de certains mots, de certaines tournures ». Mais cette distinction n'a aucun caractère scientifique et les usages auxquels font référence ces définitions ne se distinguent pas aussi facilement que semble le croire le dictionnaire. Il est en effet difficile d'accepter aujourd'hui de considérer comme « malfaiteurs » tous les utilisateurs de ce qu'on appelle communément *argot,* tandis que le terme *jargon* a pris un sens péjoratif, dépréciatif : c'est toujours l'autre qui jargonne, et parler du jargon des psychanalystes ou des sociologues relève souvent d'une sorte de poujadisme intellectuel qui rejette du côté de l'incompréhensible tout discours théorique tant soit peu élaboré. *Argot* et *jargon* portent ainsi des valeurs sémantiques fortement idéologisées, et leurs connotations pourraient les disqualifier du vocabulaire scientifique. Mais on ne lutte pas contre la langue, et le terme *argot* est trop présent pour qu'on puisse s'en débarrasser. C'est donc de l'*argot* que nous traiterons ici, mais demeure la question : qu'est-ce que l'argot ?

Nous allons d'abord y répondre de façon négative : il ne faut pas considérer l'argot comme une forme délimitée, imperméable, bien différenciée de la langue dont il procède. Les frontières sont ici beaucoup plus floues, et il est impossible de les tracer de façon nette en s'en tenant à des critères uniquement linguistiques : le même mot dit « argotique » peut être employé par un petit truand ou par un ministre, pour des raisons différentes bien sûr, car l'argot n'est plus la langue secrète qu'il fut à son origine, il est devenu une sorte d'emblème, une façon de se situer par rapport à la norme linguistique et du même coup par rapport à la société. Nous partirons donc plutôt des *fonctions* de l'argot, des usages sociaux qui lui ont donné naissance et qui prolongent sa vie, avant d'en venir aux *formes* que ces fonctions ont générées.

## I. — A l'origine, une fonction cryptique

Les langues, faut-il le rappeler, ont entre autres fonctions celle d'assurer la communication. Et cette évidence est lourde de conséquences. En effet, plus la communication est problématique (lorsque l'on parle avec un étranger par exemple) et plus le locuteur aura tendance à rechercher des formes simples, courantes. Ce point de vue permet de comprendre la naissance de formes véhiculaires, destinées à faciliter la communication avec le plus grand nombre, et l'on peut ainsi repérer des usages différents d'une même langue, usage grégaire ou vernaculaire dans certains cas, et usage véhiculaire dans d'autres cas. Ainsi l'anglais parlé par deux natifs d'Oxford ou de Boston n'a-t-il que peu de points en commun avec celui qu'utilisent par exemple deux hommes d'affaires, l'un allemand et l'autre japonais, ou un touriste français et un hôtelier grec.

Mais cette conception de la langue comme « instrument de communication », par ailleurs scientifiquement contestable, est étroitement limitée aux individus qui participent à l'interaction et laisse de côté les « oreilles ennemies qui nous écoutent » : lorsque l'on parle à quelqu'un, il y a souvent à côté quelqu'un d'autre qui peut écouter ou entendre ce que l'on dit. Et cette publicité du discours crée parfois des comportements qui viennent se greffer sur la communication : on peut parler pour les autres, pas mécontent qu'au restaurant, à la table à côté, certains semblent intéressés par ce que l'on dit. Mais il est à l'inverse des situations dans lesquelles les locuteurs n'ont aucun intérêt à ce que des oreilles étrangères les comprennent. C'est par exemple le cas des commerçants qui, discutant entre eux devant les clients, peuvent avoir à dire des choses qu'ils tiennent à garder secrètes (« donne-lui le pain dur qui reste d'hier »), ou des voleurs qui, préparant un « coup », ne tiennent pas à être compris des tiers. Ce sont ces situations qui ont donné naissance à des utilisations cryptiques de la langue, c'est-à-dire tendant à limiter la communication à un petit groupe, à un cercle d'initiés.

*Cryptique,* du grec *kryptos,* « caché ». Cette racine entre dans la composition de termes comme *cryptogramme,* texte écrit en caractères secrets, ou *cryptogénétique,* « d'origine inconnue ». Une langue cryptique est donc une langue qui cache le sens aux non-initiés.

Cette fonction cryptique implique dès lors des formes linguistiques qui masquent le sens, et nous verrons qu'il y a différentes façons de parvenir à cette fin. Les argots (et le pluriel est ici important) sont donc à l'origine des formes linguistiques dérivées de la langue commune qui permettent la communication dans un groupe restreint, celui des initiés, et ils constituent une réponse linguistique à un besoin (besoin de secret, d'opacité, etc.). En ce sens, il faut donc situer l'argot dans un cadre plus vaste, celui de ce qu'on a appelé les « langues spéciales ».

## II. — Les langues spéciales

Michel Bréal, dans son *Essai de sémantique,* soulignait il y a bien longtemps qu'un mot peut avoir des sens très différents selon le groupe social qui l'utilise. Ainsi le terme français *opération* ne renvoie-t-il pas à la même chose pour un mathématicien, un militaire, un chirurgien, un financier, etc. Commentant ce passage, A. Van Gennep en déduisait qu'il existe à l'intérieur de chaque langue commune « autant de langues spéciales qu'il y a de métiers, de professions, de classes, bref de sociétés restreintes à l'intérieur de la société générale »[1]. Cette distinction entre langue commune et langues spéciales n'a guère été reprise depuis, alors qu'elle fournit pourtant un cadre théorique intéressant pour approcher ce que l'on appelle *argot.* Le rapport que Van Gennep établit entre le couple langue commune / langues spéciales et le couple société générale / sociétés restreintes constitue en effet le fondement d'une approche sociale des faits de langues que le structuralisme a longtemps oblitérée, considérant la langue comme un objet en soi, alors qu'il convient pour comprendre les rapports entre langue et société de partir du groupe social, de la communauté, et d'en étudier les aspects linguistiques.

C'est de ce point de vue, en partant de la définition de la communauté linguistique comme unité de gestion des ressources linguistiques (c'est-à-dire des langues en présence et des institutions qui jouent sur

1. A. Van Gennep, Essai d'une théorie des langues spéciales, *REES,* 1908, p. 2.

elles), que nous considérerons les jeux de formes, qui tous ont une fonction.

Ces « langues spéciales », ces « jargons », ne sont pas des langues secrètes mais plutôt des « langues » de métiers, et c'est en ce sens qu'il faut entendre le terme *jargon*.

### III. — L'argot comme style et comme emblème

De la même façon que les formes linguistiques considérées comme fautives par les puristes ont parfois pour avenir de devenir des formes « normales », acceptées, le vocabulaire argotique est souvent assimilé par la langue commune, compris de tous, conservant simplement des connotations « vulgaires » ou « populaires » : on comprend tel ou tel mot, telle ou telle forme, mais on ne l'utilise pas, ou on ne l'utilise que dans des circonstances particulières. Mais la vulgarité est une chose relative, certains la rejetant et d'autres s'en réclamant. Ainsi, l'argot étant rejeté par la norme va être au contraire revendiqué par tous ceux qui, de leur côté, rejettent cette norme et la société qu'ils perçoivent derrière elle. Si l'argot n'est plus la langue cryptique qu'il a été, il est donc devenu une sorte de langue refuge, emblématique, la langue des exclus, des marginaux ou de ceux qui se veulent tels, en même temps qu'une façon pour certains de marquer leur différence par un clin d'œil linguistique.

### IV. — Les formes de l'argot : l'exemple du clochard

Toutes ces fonctions s'incarnent bien sûr dans des formes : on sait lorsque quelqu'un parle argot, comme l'on sait que quelqu'un parle anglais ou chinois, parce que l'on situe, à l'oreille, la forme phonique de ces langues. Mais quelles sont les formes de l'argot ?

Prenons un exemple, celui du mot français *clochard.* A l'origine de ce terme, un verbe tombé en désuétude, *clocher,* du latin populaire **cloppicare,* lui-même apparenté à *cloppus,* « boiteux ». *Clocher* signifiait donc « boiter » et faisait double emploi avec ce verbe, ce qui explique qu'il ait d'abord pris un sens légèrement différent (« être défectueux »), puis disparu en ne laissant que quelques traces : *ça cloche* au sens de « cela ne va pas », *clopin-clopant, à cloche-pied... Clochard* est donc un déverbal de *clocher,* un mot tiré d'un verbe, qui indique en même temps la façon dont on a d'abord perçu ces exclus de la société. Mais on aurait pu attendre *clocheur* (celui qui « cloche » étant un *clocheur* comme celui qui marche est un *marcheur,* celui qui chante un *chanteur,* etc.) et la finale en /ard/ ajoute à ce terme un sens péjoratif (que l'on songe aux connotations de cette finale dans *connard, jobard,* etc). De ce mot on va ensuite, par troncation, tirer le mot *cloche,* désignant à la fois un « imbécile », un « clochard », et de façon plus générale le mode de vie des clochards (être à la cloche). Puis on va lui ajouter une autre finale pour en faire, avec le même sens, *clodo,* qui connaîtra d'autres variantes souvent éphémères, *cloduque, clodomir, clodoche...* Enfin, en verlan (voir chap. III), *clochard* va devenir *charclo.*

Nous trouvons donc ici quatre types de créations qui s'enchaînent :

— Une image tout d'abord, le *clochard* étant perçu comme quelqu'un qui boite, ou qui « cloche », qui ne va pas au regard de la société « normale ».

— Une troncation ensuite, procédé extrêmement fréquent dans la langue populaire et argotique (c'est ainsi que *professeur* a donné *prof* ou que *clandestin* a donné *clandé*).

— Une resuffixation en /o/, elle aussi très fréquente (le *clandé* ci-dessus est ainsi devenu *clando*).

— Enfin l'application d'un argot à clef (ici le verlan).

Ces types de création, qui ici s'enchaînent, peuvent ne pas s'enchaîner, ou le faire dans un ordre différent, mais ils nous fournissent un bon éventail des procédés de l'argot :

— La *métaphore* d'une part, c'est-à-dire tout ce qui joue (souvent de façon plaisante) sur le sens. Les clochards ne boitent pas nécessairement sur le plan physique mais peuvent « clocher » aux yeux de la société. Parfois une image ainsi créée sera ensuite réutilisée, donnant naissance à une *matrice sémantique* (voir chap. II).

— La *troncation,* principe d'économie (raccourcir les mots) propre au langage populaire *(prof, ciné, métro...)* et qui, parce qu'il n'aboutit pas à des formes assez opaques, se prête le plus souvent ensuite à une ressufixation.

— La *ressuffixation* avec utilisation de quelques finales caractéristiques, en particulier la finale /o/, qui confère au vocabulaire argotique et populaire une tonalité particulière, une « couleur » (voir chap. IV).

— Les *argots à clef* enfin, c'est-à-dire les argots qui transforment les mots par application d'une règle (voir chap. III).

Ces procédés nous fournissent donc une partie du plan de ce livre. Après un chapitre consacré à l'histoire de l'argot (chap. I), nous traiterons des images et des matrices sémantiques (chap. II), des transformations formelles, en particulier des argots à clef (chap. III), pour ensuite nous interroger sur les rapports généraux entre l'argot et la langue (chap. IV) et finir par une présentation de l'utilisation littéraire de l'argot ou de pseudo-argots (chap. V).

Mais, de façon plus générale, la position qui sera ici défendue est que l'argot est une des formes de la langue, et que chaque locuteur possède une grammaire lui permettant de produire des énoncés que l'on qualifiera selon les cas de langue recherchée, courante, populaire ou argotique. Ces subdivisions n'ont d'ailleurs que peu de sens : il s'agit plutôt d'un continuum dans lequel, par commodité, on distingue entre argot, français populaire, français courant, etc. Tout le problème sera alors d'étudier *pourquoi* un locuteur choisit, dans l'ensemble de ces possibilités, la variante argotique (il s'agit ici des *fonctions* de l'argot) et *comment* il marquera ces fonctions dans la forme de la langue, quelle sera la forme de ces fonctions (et il s'agit alors des procédés et des « couleurs » de l'argot).

Chapitre I

# HISTOIRE DE L'ARGOT FRANÇAIS

> « Pour ceux qui étudient la langue ainsi qu'il faut l'étudier, c'est-à-dire comme les géologues étudient la terre, l'argot apparaît comme une véritable alluvion. Selon qu'on y creuse plus ou moins avant, on trouve dans l'argot, au-dessous du vieux français populaire, le provençal, l'espagnol, de l'italien, du levantin... »
>
> Victor Hugo.

S'essayer à une histoire de l'argot est une entreprise un peu paradoxale, dans la mesure où nous ne disposons que de documents écrits sur cette création essentiellement orale. C'est pourquoi la majorité des dictionnaires d'argot mettent en valeur leur corpus *littéraire.* Pour ne prendre que deux exemples récents, *Le dictionnaire de l'argot* de Jean-Paul Colin et Jean-Pierre Mével (Larousse, 1990) précise que « plus de 200 écrivains ont ainsi été mis à contribution pour représenter le plus large éventail de la littérature argotique et populaire », tandis que le *Dictionnaire du français non conventionnel* de Jacques Cellard et Alain Rey (Hachette, 1980, nouv. éd., 1991) fournit en bibliographie une liste impressionnante de romans... C'est donc une histoire élaborée à partir des textes et documents sur l'argot que l'on trouvera ci-dessous, et le fait qu'elle débute au XVe siècle ne signifie nullement qu'il n'existait pas d'argot avant cette date mais simplement que nous n'avons pas de témoignages écrits sur l'argot avant le XVe siècle.

En effet, le travail de la langue avec une fonction d'abord cryptique puis peu à peu emblématique, que constitue l'argot, est sans doute aussi ancien que les langues elles-mêmes. Mais nous sommes bien sûr ici limités par nos sources : l'argot ne laisse que peu de traces. Ainsi, pour le domaine français, à part quelques références au *gergo, gargon, jargon* au XIIe siècle, quelques mots isolés au XIVe, c'est le procès des Coquillards, au XVe, qui nous fournit nos premières sources sérieuses.

Ces sources nous donnent des indications linguistiques, des listes de mots, mais également des indications sur les gens qui utilisaient ces mots, et derrière une histoire de l'argot se profile ainsi une histoire des sociétés argotières, des groupes sociaux parlant l'argot : nous avons à travers la langue la trace de leurs activités.

## I. — Les premières traces d'argots français

On trouve, dès le XIVe siècle, dans des textes relatifs aux prisons, des termes n'appartenant pas au français commun : *barbane, beaumont, beauvoir, borsueil, boucherie, gloriette, gourdaine, griesche, oubliette.* Tous ont le même sens (prison) mais ils véhiculent des nuances différentes. Certaines indications sur la somme que les prisonniers devaient acquitter pour leur pension derrière les barreaux (!) laissent entendre que nous avions d'une part des prisons réservées aux gentilhommes *(beaumont, beauvoir)* dans lesquelles les prisonniers devaient payer 6 deniers par jour, d'autres *(bor-*

*sueil)* réservées à des prisonniers moins fortunés (on y payait 1 denier la nuit).

D'où viennent ces termes ? *Barbane* pourrait être lié au provençal *barban,* « bête noire, moine bourru », selon le dictionnaire de Frédéric Mistral[1], le *borsueil* ou *bersueil* est en ancien français un berceau, la *boucherie* est, selon un texte de 1389, une « prison tres orrible et où plusieurs se sont desesperez et occis », et l'image qui préside à son utilisation avec le sens de prison est claire, la *gloriette* (que l'on trouve avec le sens de prison dès 1304) était une petite boucherie, la *gourdaine* pourrait être liée étymologiquement à la *gourde* (c'est-à-dire la *courge*), *griesche* signifie « dur », « douloureux »... Du point de vue sémantique, ces termes renvoient donc le plus souvent à la notion de creux, de « trou » sombre et pénible. Quant à *oubliette,* dont le sens est transparent, c'est le seul mot de cette liste à avoir traversé les siècles et à s'être installé dans le vocabulaire général.

Mais il n'est pas le seul dans ce cas. Ainsi *mouche* apparaît dès 1389 avec le sens d'espion et survit aujourd'hui à la fois sous la forme *mouchard* et sous la forme *flic* (de l'allemand *fliege,* « mouche »), *roussignol* (aujourd'hui *rossignol*) apparaît en 1406 pour désigner un instrument servant à crocheter les portes et *dupe* en 1426. On trouve aussi chez les Coquillards le verbe *enterver* pour « comprendre » qui perdure aujourd'hui sous la forme *entraver.* Sans doute y a-t-il d'autres mots argotiques qui remontent plus haut dans le temps, mais nous sommes bien sûr tributaires des sources écrites, et elles sont rares.

Et cette permanence de certains termes doit nous faire réfléchir. En effet, une langue secrète devrait

1. F. Mistral, *Lou tresor dou felibrige,* 1re éd., 1886.

changer aussitôt qu'elle est connue hors du cercle des initiés, c'est-à-dire qu'elle n'est plus secrète, et la présence à travers les siècles de mots comme *mouchard, rossignol, veuve* (pour la potence, puis la guillotine), *oubliette,* etc., nous montre d'une part que l'argot peut avoir d'autres fonctions que la fonction cryptique et d'autre part qu'il y a une certaine circulation du vocabulaire argotique qui passe parfois dans le vocabulaire commun en transitant par le vocabulaire populaire.

## II. — Les Coquillards

C'est du XVe siècle que date le premier document de quelque ampleur. En 1455, à Dijon, des membres de la bande des Coquillards sont arrêtés et jugés. Ces marginaux, sans doute au nombre d'un millier, étaient en partie issus des mercenaires de la guerre de Cent ans, et ils doivent leur nom à la coquille qu'ils portaient pour se faire passer pour des pèlerins allant à Saint-Jacques-de-Compostelle : il leur était ainsi plus facile de détrousser les vrais pèlerins. Leurs activités étaient diverses : voleurs, tricheurs au jeu, faux monnayeurs, etc. Au cours du procès de Dijon, certains d'entre eux livrent à la justice les noms de leurs complices et des éléments de leur langage, qu'ils appellent *jobelin* ou *jargon jobelin.* Nous disposons ainsi d'environ 70 mots ou expressions argotiques, dont certains apparaissent dans les ballades « en jargon » de Villon (ce qui a permis à ses biographes de postuler les rapports du poète avec les Coquillards). Voici un passage de ce document inestimable pour l'histoire de l'argot, que nous reproduisons dans son orthographe d'origine.

Les dessus nommez et aultres qui sont de la compaignie des Coquillars ont en leur langaige divers noms et ne scevent pas tous toutes les sciences ou tromperies dont oud. cas est faite mencion. Mais sont les ungz habiles a faire une chose et les aultres a faire une aultre chose ; et quand ilz se debatent l'ung contre l'aultre, chacun reprouche a son compaignon de ce quoy il scet servir en la science et se apellent :

| | |
|---|---|
| Crocheteurs | Bazisseurs |
| Vendengeurs | Desbochilleurs |
| Beffleurs | Blancz coulons |
| Envoyeurs | Baladeurs |
| Desrocheurs | Pipeurs |
| Planteurs | Gascatres |
| Fourbes | Bretons |
| Dessarqueurs | Esteveurs |

Ung *crocheteur* c'est celluy qui scet crocheter serrures.
Ung *vendegeur* c'est un coppeur de bourses.
Ung *befleur* c'est ung larron qui attrait les simples (compaignons) a jouer.
Ung *envoyeur* c'est ung muldrier.
Ung *desrocheur* c'est celluy qui ne laisse rien a celluy qu'il desrobe.
Ung *planteur* c'est celluy qui baille les faulx lingos, les faulses chainnes et les faulses pierres.
Un *fourbe* c'est celluy qui porte les faulx lingos ou aultres faulses marchandises...

Ce document est beaucoup plus qu'un simplc lexique, qu'une nomenclature, car nous pouvons y trouver à la fois des informations sur la société des Coquillards et sur les modes de création de leur argot. Nous apprenons en effet qu'il existait une forte spécialisation de ces malfaiteurs (« Mais sont les ungz habiles a faire une chose et les aultres a faire une aultre chose »), que chacun avait son « métier ». Ainsi le *baladeur* allait parler à la future victime de lingots ou de pierrerie, le *confermeur de la balade* passait ensuite et *plantait* la fausse marchandise : nous sommes ici devant un métier nettement organisé, avec son langage de spécialité et une certaine répartition des tâches.

Ce document nous montre aussi les grands principes de création de cet argot. On y trouve par exemple des mots régionaux, comme *bazir,* « tuer », qui vient du provençal (Mistral donne par exemple *basi de fam,* « mourir de faim ») ou *taquinade,* « jeu de dés », qui vient de l'espagnol (*taquin* signifie aujourd'hui « osselet » et *taquinero* « joueur d'osselets »). On y trouve aussi des nominations de type « ethnique » : un *breton* est un voleur, un *gascatre* (mauvais gascon) est un apprenti voleur, et Sainéan rappelle à propos de ces termes l'ancien proverbe *Qui fit Breton il le fit larron* ou un passage d'Agrippa d'Aubigné qui traite les Gascons de larrons... On y trouve surtout des emplois métaphoriques comme *envoyeur,* « assassin » (celui qui vous envoie dans un autre monde), *vendangeur,* « voleur » (celui qui coupe les bourses), *fourbe,* « voleur » (celui qui vous nettoie), etc.

Nous reviendrons sur ces procédés de création aux chapitres II et III, mais il est important de noter que le premier document de quelque longueur sur l'argot nous montre une certaine permanence dans ce travail de la langue.

### III. — Le jargon de l'argot réformé

C'est en 1628 que paraît la seconde édition du *Jargon de l'argot réformé* (nous n'avons aucune trace de la première) qui sera régulièrement republié (et remis à jour) jusqu'au XIXe siècle. Bizarrement, l'auteur de ce texte, Olivier Chéreau, avait par ailleurs publié des ouvrages pieux : une monographie de la Confrérie du Saint-Sacrement de Tours, une histoire des archevêques de la même ville... L'édition de 1628, qui contenait 216 mots, sera réimprimée en 1634, en 1660, 1690, 1700 et 1728 avec quelques ajouts. En 1836 paraîtra une édition considérablement augmentée (685 mots), la dernière édition étant de 1849.

Lazare Sainéan[1], que nous suivons ici, voit dans ce lexique huit types de formations :

1) Des mots utilisés métaphoriquement :

C'est le cas de *camuse* pour « carpe », de *lourde* pour « porte », de *luisant* pour « jour », etc. On trouve également ce genre de métaphore dans des expressions comme *abbaye du monte à regret* ou *veuve* pour la « potence ».

2) Des mots anciens utilisés au sens propre ou au sens figuré :

Citons *baccon,* « pourceau » (on appelait au XIIe siècle *bacon* un porc tué et salé)[2], *flambe,* « épée » (on trouve dès le XIe ce terme avec le sens de « flamme »), *tabar,* « manteau » (ce terme apparaît au XIIIe), etc.

3) Des mots empruntés au patois du Nord.

4) Des mots empruntés aux parlers du Midi.

5) Des mots d'origine obscure.

6) Des formes dérivées.

7) Des formes composées.

8) Des formes suffixées.

Voici la liste de mots commençant par la lettre A qui apparaissent dans l'édition de 1628 et les ajouts de 1836.

| 1628 | 1836 |
|---|---|
| *Artye,* pain | *Abbaye,* four |
| *Artye de Meulans,* pain blanc | *Aboudier,* sasser |
| *Artye du gros Guillaume,* pain noir | *Abouler,* venir |
| *Artye de Grimault,* pain chandy | *Abour,* sac, tamis |
| *Avergos,* œufs | *Accoerer,* accommoder |
| *Angluche,* oie | *Affur,* profit |
| *Abbaye ruffante,* four chaud | *Affurer,* gagner |

1. Lazare Sainéan, *Les sources de l'argot ancien,* Paris, 1912 ; rééd. Slatkine reprints, Genève, 1973.

2. J'utilise ici et pour les mots suivants A. J. Greimas, *Dictionnaire de l'ancien français,* Paris, Larousse, 1969.

*Abloquir,* achepter
*Antroller,* emporter
*Ambier,* fuir
*Attrimer,* prendre
*Affurer,* tromper
*Aquiger,* faire
*Andosse,* dos, échine
*Abbaye du monte à regret,* potence
*Amadoue,* « c'est de quoi les argotiers se frottent, pour se faire devenir jaunes et paroistre malades. »
*Agate,* faïence
*Amadouage,* mariage
*Amadouer,* marier
*Antifle,* marche
*Apic,* ail
*Apôtre,* doigt
*Aquiger,* prendre
*Arbalète,* croix
*Archissuppôt* docteur
*Astic,* acier
*Attilles,* testicules
*Attache,* boucle.

Il y a dans cette liste un terme qui apparaît déjà chez les Coquillards : *artye* (sous la forme *arton*). Mais il en est d'autres dans la même édition de 1628 du *Jargon de l'argot réformé : ballader* pour « aller demander l'aumône » (les Coquillards avaient *balade*), *galier* pour « cheval », *grain* pour « écu », *marque* pour « fille », ce qui nous montre que certains mots d'argot peuvent avoir une durée de vie relativement longue (ici près de deux siècles) tout en gardant leur fonction cryptique.

## IV. — Autour de Cartouche

Louis Dominique, dit Cartouche (1693-1721), chef de bande célèbre et qui finit roué en place de Grève, a été immédiatement après sa mort au centre de la production littéraire. Une pièce de Legrand, *Cartouche ou les voleurs,* est d'abord présentée au Théâtre-Français en octobre 1721 : on y trouve quelques mots d'argot dans la bouche de Cartouche, *trimer* pour « marcher », *trimard* pour « chemin », *pincer* et *bouliner* pour « voler », *mioche* pour « garçon » et *ratichon* pour « prêtre », dont certains *(pincer, bouliner, mioche)* apparaissent ici pour la première fois.

Quatre ans plus tard, en 1725, Granval (de son vrai

nom Nicolas Ragot) publie un long poème, *Le vice puni, ou Cartouche,* auquel il ajoute un glossaire, directement inspiré du *Jargon de l'argot réformé.* On y trouve cependant des mots jusqu'alors inconnus, dont voici la liste :

*affe*, vie
*anquilleuse,* voleuse qui cache ses larçins sous son tablier
*antiffe,* marche
*astic,* épée
*babillard,* livre
*babillarde,* lettre
*bacler,* fermer
*brenicle,* rien
*brouée,* fouet
*cachemitte,* cachot
*camarde,* mort
*craquelin,* menteur
*crier au vinaigre,* crier après quelqu'un
*crocs,* dents
*dardant,* amour
*daron,* maître,, père
*daronne,* maîtresse,, mère
*défrusquiner,* déshabiller
*démurger,* s'en aller
*embander,* prendre de force
*esganacer,* rire
*farot,* monsieur
*fêtu,* barrre du bourreau
*frétillante,* queue
*frétiller,* danser
*frusquiner,* habiller
*gance,* clique
*gaudille,* épée
*gratouse,* dentelle
*guibons*, jambe
*huile*, argent
*jaspiner,* parler
*longue*, année
*michon*, argent
*pacant,* passant
*palpitant,* cœur
*plotte*, bourse
*pouchon,* bourse
*rebatir,* tuer
*renacler,* crier après quelqu'un
*rossignoler*, chanter
*rupine,* dame
*sabouler,* incommoder
*santu,* santé
*sapin,* planche
*stuc,* part du larcin
*suer, faire suer,* se faire donner sa part du vol
*tirans,* bas
*tirou,* chemin
*toccante,* montre
*trimancher,* marcher
*trimarder,* marcher.

Certains de ces termes sont de simples dérivés, comme *défrusquiner* et *frusquiner* sur *frusque* (habits) ou *trimarder* sur *trimard,* d'autres sont des images créées par l'auteur, comme *dardant,* mais il reste une bonne moisson de mots argotiques. Comme toujours dans de tels glossaires, une partie de ce vocabulaire a traversé les siècles : *affe* a perduré dans l'expression *eau d'affe* (eau-de-vie), *crocs* dans *avoir les crocs* (avoir faim), *daron, jaspiner, toccante* sont toujours plus ou moins utilisés, *guibons* vit toujours sous la forme de *guiboles*, et *craquelin* se retrouve dans la forme populaire *craques* (mensonges). Pour ce qui concerne l'origine de ces mots, nous avons des termes issus du langage populaire (*daron* sur *dare,* « bedaine ») ou de formes dialectales (*pouchon* sur *pochon,* « sac », *démuger,* « faire sortir d'un lieu » dans le Maine), des images (*gance,* un nœud, *tirans, palpitant*...), des mots provençaux *(esganacer, stuc...),* etc.

A la différence des documents précédents, ce que nous savons de l'argot de Cartouche est donc d'origine littéraire : Legrand a écrit une comédie, Granval un poème auquel il a ajouté un glossaire... Reste le problème de leurs sources. Granval a largement utilisé le *Jargon de l'argot réformé* auquel il ajoute les termes ci-dessus, mais d'où viennent ces termes, comme les quelques mots inédits de Legrand ? Sainéan cite un document intéressant : il s'agit du passage d'un *Journal* (celui de Mathieu Marais) expliquant qu'en novembre 1721 on aurait sorti Cartouche de sa prison, peu de temps avant sa mort, et que dans une « chambre haute » des messieurs bien habillés le questionnèrent : « Or *ces messieurs etoient les Comédiens françois, qui vouloient avoir ces chansons et cet argot pour mettre dans une comédie,* qui a été scandaleusement jouée sur le théâtre sous le titre de *Cartouche, ou les voleurs.* »[1]

Cartouche aurait donc été un informateur direct. Ce qui est sûr, c'est que son personnage fut à cette époque très à la mode, et que du même coup l'argot se trouva

1. Lazare Sainéan, *Les sources de l'argot ancien,* Paris, 1912 ; rééd. Slatkine reprints, Genève, 1973, t. 1, p. 64.

sur le devant de la scène : la bourgeoisie du temps se passionna pour ce vocabulaire et l'on trouve dans ce premier tiers du XVIIIe siècle de nombreuses pièces littéraires parsemées de quelques mots de « jargon »...

## V. — Les chauffeurs

Tout comme le jargon des Coquillards, l'argot des Chauffeurs d'Orgères nous est connu par un procès. A la fin du XVIIIe siècle, des cambrioleurs avaient pris l'habitude de brûler la plante des pieds de leurs victimes pour leur faire dire où elles cachaient leurs biens, d'où le nom de *chauffeurs* qu'on leur donna. On connaissait des « chauffeurs » dans différentes régions de la France, dans le Nord, à l'Est, dans la région lyonnaise, mais c'est une bande de chauffeurs du canton d'Orgères (Eure-et-Loire), qui fut jugée en 1800, qui a fourni les renseignements les plus précis sur leur argot.

C'est à l'ouvrage de P. Leclair (*Histoire des bandits d'Orgères,* Paris, 1800), qui collabora à l'instruction du procès, que nous devons les renseignements résumés ci-dessous. Voici d'abord une liste de mots pour la lettre C, la plus fournie dans ce lexique. J'y ai ajouté, entre parenthèses, quelques remarques historiques ou étymologiques lorsque cela est possible.

Cabaret : *une piole* (le terme est connu avec ce sens dès 1628).

Cabaretier : *un piolier.*

Cachot : *les mittes* (première apparition du terme, dérivé de *cachemitte,* et qui donnera ensuite *mitard*).

Canard : *un barbotier.*

Cane : *une barbotte.*

Cave : *une prophète (de profonde ?).*

Cave (jeter à la) : *mettre au noir.*

Chambre : *une cambriole* (le terme est déjà attesté dix ans auparavant).

Chandelles : *des mouchiques* (sur *moucher une chandelle ?*).

Chapeau : *un combre* (apparaît au XVII^e siècle, transformation de *comble*).
Chapeau bordé : *un combre galuché.*
Chapons : *des barons.*
Charretier : *un fait de gaffe.*
Charrue : *une roulotte.*
Château : *un pipet* (apparaît dès 1628, on trouve aussi *piget,* de *pige,* « piège » : à vouloir cambrioler un château on risque de se faire prendre)..
Chauffer les pieds : *ériffler le poturon* (ou trouve aussi *rifler.* Le *rifle* désigne le feu dès 1628 et prend ensuite la forme *riffe* ou *rif.* On trouve *paturon* pour « pied » en 1628).
Chemin : *le tiche.*
Chemise : *une limace* (apparaît déjà en 1725, de l'argot marseillais *limaço,* donné par Mistral).
Cheval : *un gré* (du tzigane *gray*).
Cheveux : *les douillets* (on trouve chez Vidocq la *douillure* pour la chevelure).
Chier : *filer le rondin.*
Cidre : *du godelay* (Sainan signale en moyen-français *godale,* sorte de bière).
Clef : *une tournante.*
Commissaire : *un quart-d'oeil* (apparaît dix ans avant sous la forme *cardeuil* : celui qui surveille ?).
Concierge de la prison : *l'oncle.*
Coq : *un caporal.*
Cordages : *des ligotantes.*
Croisée : *une vanterne* (de l'espagnol *ventana* ?).
Cou : *la gourgane* (selon Sainéan, du picard *gargouenne,* « gorge »).
Couilles : *les chibres* (on trouve en 1628 *chibre* avec le sens de « pénis »).
Couper la gorge : *sciager la gourgane* (de *scier* ?).
Courir après quelqu'un : *sabouler.*
Couteau : *un lingre, un bargaya* (*lingre* apparaît dès le XVII^e, sur le nom de la ville de Laingres, où l'on fabriquait des couteaux. Pour *bargaya,* selon Sainéan, provençal *bargo,* couteau d'un briseur de chanvre).
Couteau de chasse : *un tranchant.*
Coûtre : *un doffe* (on trouve aussi *dauffe,* avec le sens de pince. Troncation de *dauphin*).
Croix d'or : *une branlante en gé* (sur *jais,* pour la couleur brillante ?).
Croix d'argent : *une branlante en cé* (troncation de *cercle,* même sens).

Cuillers : *des louches.*
Culotte : *une culbute, une montante.*
Curé : *un ratichon* (on trouve *rastichon* en 1628 et *ras* chez les Coquillards).

Comme pour *Le jargon de l'argot réformé,* cette liste nous révèle un certain nombre de procédés de création argotique :

— Tout d'abord des emprunts à d'autres langues ou dialectes (ici le tzigane, le provençal, l'espagnol...), ce qui laisse à penser que la bande était formée de gens venant de différentes régions. On trouve dans la même liste *schnouf* pour « tabac » (allemand *Schnupftabak*), *chique* pour « église » (tzigane *chiké,* « maison »).

— Les images et plaisanteries abondent : *barbottier, combre (comble :* ce qu'il y a en haut), *branlante, tranchant, tournante,* etc.

— Les mots sont parfois tronqués et resuffixés : *culotte* donne *culbute, profonde* donne *prophète...*

— Certains termes semblent être repris d'argots antérieurs et transformés : *un ratichon* sur *ras, érifler* sur *rifle, cé* sur *cercle,* etc.

— Enfin, on voit apparaître la trace d'une série sémantique avec *doffe* pour « coutre » (un fer tranchant), une série qui pour désigner les instruments servant à l'effraction utilise par dérision des appellations nobles : ici *dauph(in),* ailleurs *pince-monseigneur* ou *roi David* (d'où ensuite *daviot*).

Mais ce document nous renseigne aussi sur l'organisation de la bande. Ainsi, autour des voleurs, gravitaient des *francs de campagne,* compagnons chargés de battre la campagne à la recherche de « coups » et des *francs de maison,* qui cachaient les voleurs et recélaient le produit de leurs vols. Les *mioches* étaient des apprentis voleurs, instruits par un *instituteur,* ils mendiaient et servaient en même temps d'indicateurs, allant reconnaître les lieux où l'on préparait un vol. Enfin un *curé* (en fait un voleur parmi les autres) célébrait les mariages... C'est-à-dire que nous avons là une société structurée et hiérarchisée, un sous-groupe social.

### VI. — **Vidocq**

Ancien bagnard devenu policier, François-Eugène Vidocq (1775-1857) a successivement publié ses *Mémoires* (1828) et *Les voleurs* (1837) dans lequel se trouve un vocabulaire qui constitue le plus important témoignage direct sur l'argot du XIXe siècle. Il fut, comme on sait, le modèle de Balzac pour le personnage de Vautrin dans *Splendeurs et misères des courtisanes* et a été beaucoup utilisé par Victor Hugo, comme nous le verrons au chapitre V.

On trouve dans son vocabulaire quelques mots d'argots ancien, comme *gaffe* (guet) déjà utilisé par les Coquillards, ou *mouchailler* (regarder) attesté dès le XVIIe siècle, ainsi qu'une petite part de mots français du XVIe siècle, c'est-à-dire de l'époque de la création des galères. C'est par exemple le cas de mots comme *barberot* (barbier) ou *cadènes* (chaînes). On y trouve aussi des mots régionaux attestant des origines géographiques diverses des bagnards :

— *Du sud,* comme *roustons* (testicules), *baite* (maison), *cambrouse* (province), *flaque* (sac) qui viennent du provençal, ou *beribono* (imbécile) qui vient du languedocien.

— *Du nord,* comme *gambiller* (danser), *abéquer* (nourrir) qui viennent du picard.

— *Du centre,* comme *abouler* (venir), *arpions* (pieds), *panoufle* (perruque) qui viennent du Berry.

Vidocq nous donne également des mots empruntés à des langues étrangères : *fenin* (liard) de l'allemand *Pfennig*, *niente* (rien) de l'italien, *senaqui* (pièce d'or), *berge* (année), *chourin* (couteau), tous trois du tzigane, etc.

Cette partie du vocabulaire témoigne donc du grand brassage qui devait s'opérer au bagne entre des gens venus de différentes régions de France ainsi que de pays étrangers et qui enrichissaient le lexique commun de certains mots de leurs lexiques particuliers : l'une des caractéristiques de l'argot de Vidocq est d'être cosmopolite.

A côté de ces mots qui ont voyagé dans l'espace ou le temps, son vocabulaire illustre aussi une tendance que nous avons déjà notée à la troncation (*achar* acharnement, *aff* affaires, *come* commerce), et à la resuffixation (*aidance* aide, *alentoir* alentours, *burlin* bureau, *patraque,* patrouille) qui apparaît dans tous les corpus argotiques. Sans en décrire le principe, il nous donne également trois termes largonji (voir chap. III) : *Lorgne* et *lorgnebé* pour borgne, *Lorcefée* pour la prison de la Force, et *linspré* pour prince.

Reste le principal, un jeu constant avec la langue, lui aussi caractéristique des argots. Ainsi violon se dit *Mirecourt,* du nom d'une ville célèbre pour sa lutherie, un chiffonnier est un *amour* ou un *cupidon* (sa hotte est comparée au carquois de Cupidon), un juge d'instruction est un *curieux,* un pain de sucre est un *enfant de cœur* (tous deux sont blancs et sucrés ?), un tambour se dit *peau d'âne...* On trouve encore dans son lexique le mot *charrieur,* « voleur », en fait quelqu'un qui mène ses victimes en charrette (sur le modèle de *mener en bateau*). Et ce charrieur travaillait avec pour complice un *américain,* quelqu'un qui feignait d'être riche (comme un Américain) pour appâter les gogos...

Vidocq n'explique que rarement les procédés de composition dont il rend compte, mais on trouve à le lire quelques pistes étymologiques intéressantes. Par exemple il donne *chat* avec le sens de « geôlier », la prison étant sans doute comparée à une souricière. Mais il est une autre explication : le chat se dit en argot *gref-*

*fier,* mot qu'il faut rapprocher de *griffe,* et le geôlier est souvent au greffe de la prison... De la même façon, si *chourin* signalé plus haut avec le sens de « couteau » a disparu, *surin* en est bien entendu la forme moderne, par une simple transformation de la consonne initiale. Il donne également *fligue à dard* qu'il traduit « sergent de ville » en précisant « terme des voleurs juifs ». Or, les juifs que l'on voit apparaître au XIX^e^ siècle dans les chroniques judiciaires parlent judéo-allemand (Vidocq donne d'ailleurs des termes qui viennent du *rotwelsch,* comme *dring-gelt* pour « argent »), ce qui signifierait que ce *fligue à dard* est une mouche (allemand *fliege*) à dard, autrement dit une mouche (un mouchard) portant une épée, et que *fliege* est à l'origine de *flic,* contrairement à ce qu'écrivait Sainéan, voyant dans ce terme une onomatopée (le bruit d'un coup).

Notons pour finir que l'on trouve dans ce lexique beaucoup de termes qui ont toujours cours aujourd'hui, comme *fric-frac* (sans doute onomatopée voulant imiter le bruit d'un casse), *mac* (maquereau), *pioncer* (dormir), *môme* (enfant), *papelard* (papier), *pieu* (lit), *pingre* (avare), *pogne* (main), *roustons* (testicules), *mézigue* (moi), *tézigue* (toi), *toc* (faux bijoux), etc., et ceci nous montre une fois encore qu'il y a dans les vocabulaires argotiques que nous venons de présenter, des Coquillards à Vidocq en passant par le *Jargon de l'argot réformé* et les Chauffeurs d'Orgères, une certaine permanence. L'argot, certes, se renouvelle sans cesse, mais il est en même temps extrêmement conservateur.

## VII. — L'argot moderne

Les sources, qui, jusqu'à la publication des ouvrages de Vidocq, étaient rares, vont ensuite se multiplier. Mais leur genre va aussi changer. Les documents argotiques dont nous avons fait état provenaient soit des minutes de procès, soit des mémoires d'anciens forçats, d'anciens bagnards, bref de gens qui avaient été à un moment de leur vie liés aux malfaiteurs, premiers utilisateurs de l'argot. Les choses changent lorsque Francisque Michel publie en 1856 ses *Etudes de philologie sur l'argot et sur les idiomes analogues parlés en Europe et en Asie.* L'auteur est en effet un érudit qui n'a jamais fréquenté le « milieu » mais travaille sur documents, en particulier sur ceux que nous avons présentés ci-dessus. Et l'argot devient dès lors objet d'étude, les sources ne sont plus des témoignages mais des interprétations, des dictionnaires. En témoignent les ouvrages qui se succèdent alors. Alfred Delvau, avec son *Dictionnaire de la langue verte,* ouvre la série en 1866. En 1878 c'est le linguiste et lexicographe Loredan Larchey qui publie son *Dictionnaire historique d'argot,* suivi en 1889 d'un *Nouveau supplément du Dictionnaire d'argot.* En 1908, un article d'A. Van Gennep, « Essai d'une théorie des langues spéciales », innove en ce sens qu'il donne une approche théorique de ces « langues spéciales » que d'autres se contentent de mettre en dictionnaire. Puis vient Lazare Sainéan et ses *Sources de l'argot ancien* (1912), ouvrage de référence, suivi d'Albert Dauzat avec *Les argots* en 1929. Plus récemment, Gaston Esnault nous donne en 1965 un *Dictionnaire historique des argots français,* Pierre Guiraud se penche en 1968 sur *Le jargon de Villon ou le Gai Savoir de la Coquille,* la même année Denise François rédige dans le volume de l'Encyclopédie de la Pléiade consacré au *Langage* un chapitre sur « Les argots », Alain Rey, responsable du *Dictionnaire Robert,* publie en 1980 avec Jacques Cellard, alors responsable de la chronique « langage » du journal *Le Monde,* un *Dictionnaire du français non conventionnel* : l'argot semble désormais appartenir aux linguistes, et l'on peut se demander à quels changements dans l'argot lui-même correspondent ces changements dans les sources.

En fait, les linguistes ne sont pas les seuls à se pencher sur la langue verte, ils sont en effet concurrencés par les romanciers et les poètes. Eugène Sue, Paul Féval, Balzac, Zola, Hugo au XIXe siècle utilisent l'argot dans leurs œuvres, imités aujourd'hui par les auteurs de romans policiers. Ceux-ci se prennent d'ailleurs parfois pour des lexicographes : Albert Simonin, par exemple, l'auteur de *Touchez pas au grisbi* (roman à la fin duquel il y avait déjà un lexique argotique), publie en 1959 *Le petit Simonin illustré,* tandis qu'Auguste Le Breton publie l'année suivante *Langue verte et noirs desseins.* Les poètes ne sont pas en reste : le chansonnier Aristide Bruant publie en 1901 son *Dictionnaire français-argot* tandis que le poète Jehan Rictus utilise abondamment ce vocabulaire dans ses *Soliloques du pauvre* (1897). Et cette tradition s'est maintenue : aujourd'hui des chanteurs comme Léo Ferré, Pierre Perret ou Renaud utilisent l'argot dans leurs chansons, et Pierre Perret publie en outre des dictionnaires d'argot. En 1928, c'est un médecin travaillant à la prison de Lyon, le Dr Lacassagne, qui publie *L'argot du milieu.* Et la police est aussi de la partie : en 1953, un commissaire divisionnaire, Marcel Carrère, s'associe à Géo Sandry pour publier un *Dictionnaire de l'argot moderne*... L'argot n'appartient pas aux linguistes, il semble appartenir à tout le monde. Et c'est ce paradoxe apparent qui définit le mieux l'argot contemporain.

Dans l'introduction de son dictionnaire, Gaston Esnault écrivait : « Nous classons “populaires” les mots des groupes non dangereux, “voyous” ceux des groupes qui tendent aux méfaits », et il ajoutait immédiatement : « Mais la cloison est amovible. »[1]. Cette

1. Gaston Esnault, *Dictionnaire historique des argots français,* Paris, Larousse, 1965, p. VII.

cloison est plus qu'amovible, elle est perméable, pour des raisons autant sociologiques que linguistiques : les mots circulent, certes, ils passent d'un groupe social à l'autre, mais les groupes eux-mêmes ne sont plus aussi tranchés. Et c'est cette perméabilité qui caractérise l'argot moderne. On y voit apparaître sans cesse de nouveaux mots, de nouveaux procédés de création (en particulier le verlan, que nous décrirons en détail), mais, surtout, ces néologismes passent très vite dans le langage général. On pourrait penser que cette rapidité de circulation est le résultat de cette publicité : dès lors qu'un langage « secret » est connu, il doit changer. Mais c'est là une vision un peu courte. L'argot moderne auquel ce livre est essentiellement consacré n'est plus vraiment un langage secret, il est plutôt un des éléments dans la palette de choix dont dispose le locuteur. Nous reviendrons en conclusion sur ce point, mais il faut dès maintenant le souligner : il n'est plus besoin aujourd'hui d'être ancien bagnard, policier ou médecin de prison, c'est-à-dire d'être d'une manière ou d'une autre en contact avec le « milieu », pour traiter de l'argot. Et ceci tient à la fois à un changement dans l'argot lui-même et à un changement dans les sciences sociales. Nous avons au début de ce chapitre insisté sur l'aspect littéraire des sources argotiques, mais les mutations méthodologiques font que s'ouvre une ère nouvelle, marquée par la sociolinguistique et par l'observation participante ainsi que par les médias modernes. Lorsque l'argot est présent à la radio, à la télévision ou au cinéma, lorsqu'il est utilisé dans la publicité, son statut s'en trouve nécessairement modifié. Certains emploient pour suivre la mode des mots argotiques qu'ils découvrent grâce aux médias : c'est par exemple le cas des lycéens des beaux quartiers utilisant du verlan. D'autres, qui ont créé ces mots, vont en créer d'autres pour maintenir la distance entre leur groupe et ses imitateurs : dans la banlieue parisienne le verlan évolue sans cesse. De leur côté, les journalistes ou les linguistes qui décrivent ces faits de langue les modifient du même coup : lorsque l'on met un phénomène sous les projecteurs, on le transforme, lorsque l'on consacre de savantes études à un argot jusque-là peu connu on le banalise. Et l'argot moderne, dans ces avatars, nous montre donc que le couple éternel de l'observateur et de la chose observée est aussi traversé par l'histoire.

Chapitre II

# LES PROCÉDÉS SÉMANTIQUES DE CRÉATION ARGOTIQUE

> « Le propre d'une langue qui veut tout dire et tout cacher, c'est d'abonder en figures. La métaphore est une énigme où se réfugie le voleur qui complote un coup, le prisonnier qui combine une évasion. Aucun idiome n'est plus métaphorique que l'argot. »
>
> Victor Hugo.

On peut, face à un mot argotique, se poser deux questions. La première (« Qu'est-ce que ça veut dire ? ») est bien entendu le résultat de la fonction cryptique de l'argot. Mais obtenir une réponse à cette question fournit un savoir très limité, puisque la même question devra être posée pour chaque mot nouveau. La seconde question (« Comment ça marche ? », ou « Pourquoi tel mot a-t-il tel sens ? ») témoigne d'un intérêt plus large pour les procédés de création argotique, et la réponse à cette seconde question permet bien souvent d'avoir une réponse à la première. C'est pourquoi, plutôt que de tenter d'élaborer une liste d'équivalences (un « dictionnaire »), il faut mieux tenter d'élaborer une typologie de ces procédés, et de nombreux analystes s'y sont essayés.

## I. — Les typologies traditionnelles

A. Van Gennep citait en 1908 un auteur allemand, R. Lasch, qui distinguait quatre procédés de formations des mots argotiques :

- la périphrase (par exemple dire le *brillant* pour le soleil) ;
- l'emprunt à des langues étrangères ;
- les archaïsmes ;
- les modifications par métathèse, incorporation ou redoublement de sons et de syllabes.

Et il notait : « Ce classement est certes exact, mais ne me semble pas d'une grande utilité pour le problème même des langues spéciales. Il n'est pas un seul de ces procédés en effet qui ne soit appliqué également dans la formation des langues ordinaires. »[1]

Et il proposait de distinguer plutôt dans les langues spéciales :

— « Les mots qui se rattachent à un radical non en usage dans la langue générale du moment considéré ; dans cette catégorie rentrent les mots étrangers, les mots archaïques, les mots inventés de toutes pièces (d'ordinaire par formation analogiques). »

— « Les mots formés d'éléments en usage dans la langue générale : ce sont d'ordinaire des qualificatifs, ou encore des mots communs transformés par métathèse, insertion de syllabes *ad libidum,* redoublement. »

Plus près de nous, Pierre Guiraud[2] proposait de distinguer entre *substitution de sens* et *substitution de forme,* sa typologie pouvant être présentée comme suit, page ci-contre.

1. A. Van Gennep, Essai d'une théorie des langues spéciales, *Revue des Etudes ethnologiques et sociologiques de Paris,* Paris, 1908 ; republications Paulet, Paris, avril 1968, p. 7.

2. Dans *L'argot,* PUF, 1956, que remplace ce volume.

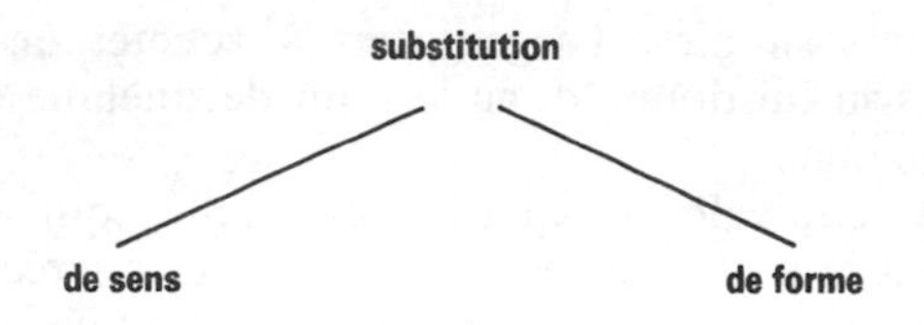


| de sens | de forme |
| --- | --- |
| *épithète ou métaphore*<br>avocat = bavard<br>juge = curieux<br>postérieur = valseur<br>etc. | *les codes*<br>largonji<br>louchebem<br>verlan<br>etc. |
| *synonymie*<br>tête = fruit, d'où pomme,<br>fraise, citron, calebasse,<br>patate, coloquinte, etc. | *la suffixation parasitaire*<br>mézigue, tézigue...<br>valdingue, pardingue, sourdingue...<br>pastaga, poulaga... |
| *homonymie*<br>aller à Cachan = se cacher<br>revenir de Turin = revenir<br>bredouille de la chasse<br>aller à Niort = nier<br>etc. | |

Dans tous les cas, on trouve la même idée, somme toute évidente : si la fonction des mots argotiques est de masquer le sens, de limiter la communication au cercle des initiés, il y a deux façon d'opérer pour parvenir à ce but : masquer la forme par un procédé quelconque jouant sur le signifiant (le mot est alors imperméable, inconnu) et changer le sens d'une forme connue en jouant sur le signifié (le mot semble alors, à tort, perméable). Nous traiterons dans ce chapitre des procédés jouant sur le sens.

## II. — Les matrices sémantiques

Les créations argotiques et populaires sont souvent le produit de « machines à créer », de matrices sémantiques. Prenons l'exemple le plus démonstratif, celui des noms de l'argent. La matrice de départ est ici une égalité très simple : l'argent sert à acheter de quoi manger, on lui donne donc le nom de quelque chose qui se mange.

Cette équivalence quasi universelle qui égale l'argent à la nourriture est profondément ancrée dans la langue. *On gagne son pain* pour *faire bouillir la marmite* ou pour *mettre du beurre dans les épinards* ; et l'on peut lire ainsi dans des expressions quotidiennes l'évolution du niveau de vie des Français : on a d'abord, comme nous venons de le rappeler, *gagné son pain,* puis, les conditions sociales s'améliorant, et le pain quotidien étant assuré, on a *gagné son bifteck.*

Rien d'étonnant, donc, au fait que l'argent soit de façon générale désigné par des mots servant par ailleurs à désigner ce qui se mange, et tout d'abord la base de la nourriture française jusqu'au siècle dernier : le pain. Le fait est clair pour *blé, galette, biscuit, oseille* ou encore pour *michon,* un mot aujourd'hui tombé dans l'oubli, qui signifiait dans l'argot du XVIIe siècle « pain » et dont la parenté avec *miche* (de pain) est évidente. Il l'est peut-être moins dans des mots comme *fric,* (de « fricot »), *pognon* (de « pogne », « pognon », nom d'un pain rond dans la région lyonnaise et le sud-est de la France), *braise* (la braise étant comme l'argent nécessaire pour assurer sa nourriture), *pèze* (du latin *pisum,* « pois », même si certains veulent y voir une forme verbale : ce qui pèse dans la poche), *artiche* (venant pour certains d'artichaut, mais plus vraisemblablement d'*artie,* un mot qui dans l'argot du XVIIe siècle signifiait « pain », venant lui-même d'*arton,* que l'on trouve dans l'argot des Coquillards : le mot serait un emprunt direct au grec αρτον, « pain »), *carme* (pain blanc, par référence à la couleur de la robe des moines), etc.

Il est un autre mot plus problématique mais qui semble bien entrer dans la même matrice : *grisbi.* On trouve dans *Le jargon de l'argot réformé* (1628) le mot *gripis* avec le sens de « meunier », mais les meuniers avaient la réputation de ne pas briller par leur honnêteté et le terme prend le sens de « voleur ». On le retrouve chez Aristide Bruant sous la forme *grisbi* avec le sens d'argent et il sera remis à la mode par le roman d'Albert Simonin *Touchez pas au grisbi* (1953). On peut alors penser à deux étymologies, qui toutes deux nous ramènent au pain : la reprise d'une part du vieux mot désignant le meunier, *gripis* (avec la dérivation meunier-pain-argent), ou d'autre part la composition « gris-bis » (pain gris, pain bis).

Cette matrice sémantique peut donc être présentée dans le schéma suivant :

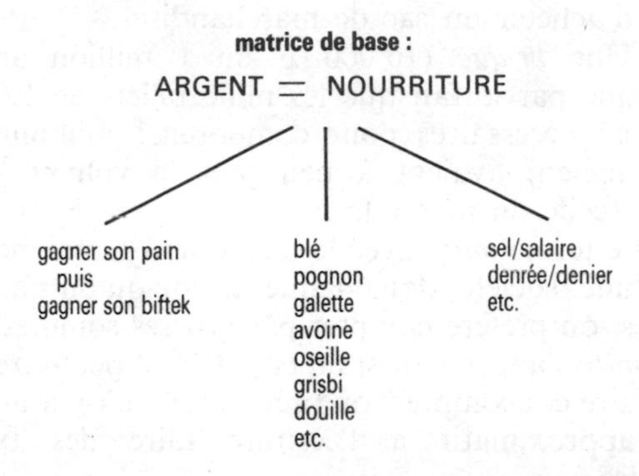


Et l'on voit que la matrice de base *argent* = *nourriture* n'est pas limitée au vocabulaire argotique : Il n'y a pas d'un côté la langue, de l'autre l'argot, mais différentes utilisations de la langue, et des exemples comme le *salaire* (« solde pour acheter du sel ») ou *denier* (ce qui permet d'acheter des *denrées*) nous montre que la langue courante utilise elle aussi cette matrice.

Mais le français populaire ou argotique a également

développé une façon imagée de désigner les différentes sommes d'argent. Tout le monde connaît la phrase clé des « mancheurs » : *t'as pas cent balles* et si le vocabulaire est ici plus limité *(balle, rotin, rond, sac, brique, bâton, unité...)*, il répond cependant à une logique du même genre. Si l'argent est en effet globalement considéré comme ce qui permet d'acheter à manger, une somme précise d'argent sera nommée en argot par référence à sa forme ou à ce qu'elle permet d'acheter :

— Une *balle* (1 F) fait à la fois référence à la forme ronde de la pièce (on trouve strictement la même image dans un *rond*) et au ballot de marchandises que cette somme permettait d'acquérir.

— Un *sac* (un billet de 10 F) permettait de la même façon d'acheter un sac de marchandises.

— Une *brique* (10 000 F ou 1 million ancien) s'explique par le fait que les mille billets de 1 000 F (anciens) nécessaires pour composer 1 million (toujours ancien) avaient à peu près le volume d'une brique (celle du maçon).

— Le terme *unité* avec le même sens témoigne bien sûr d'une société dans laquelle, lorsqu'on fait des affaires, on préfère compter par grosses sommes, et si cette *unité* s'appelle aussi un *bâton,* c'est peut-être que, pour faire ces comptes, on préfère lorsqu'on a un rapport approximatif à l'écriture faire des bâtons qu'écrire.

Le français argotique connaît ainsi un système monétaire largement métaphorique : les sommes se comptent en *balles,* en *sacs,* en *bâtons,* en *briques* ou en *unités,* tous ces termes faisant références à la forme ou à la valeur d'achat de ces sommes.

Ce long développement nous montre donc qu'une fois une matrice sémantique établie (et cette matrice prend bien sûr racine dans les conditions de vie, dans la société), elle permet de produire de nouveau mot à l'infini : *argent* pourrait tout aussi bien se dire *caviar* ou *méchoui*... Mais une matrice peut aussi s'appuyer à l'origine sur une image. Ainsi la *tête* est au départ conçue comme un récipient, d'où les mots *bouille* (bouillotte), *fiole, cafetière* pour la désigner, ou comme un fruit, d'où les mots *fraise, pêche, cerise, citron, citrouille, patate, poire,* etc.

Les noms argotiques du souteneur sont un autre exemple de ces matrices sémantiques. Nous avons d'un côté le *proxo,* troncation avec resuffixation en /o/ de *proxénète,* procédé courant que nous évoquerons dans un autre chapitre. Mais, bien avant ce *proxo* apparaît le *maquereau* sur l'étymologie duquel on a écrit bien des choses. Ce mot est l'un des plus anciens dans l'argot français : il est en effet connu depuis le XIIIe siècle, et il existe à son propos une belle histoire étymologique, dont on verra qu'elle est entièrement fausse : le poisson maquereau aurait été nommé comme le souteneur parce qu'il servirait, à l'époque des amours, d'intermédiaire entre les harengs mâles et les harengs femelles. On lit ainsi dans le dictionnaire étymologique de Bloch et Wartburg :

« *Maquereau,* "poisson", 1138. Très probablement le même mot que le précédent. Selon une croyance populaire, le maquereau qui, comme on sait, accompagne les troupes de harengs dans leur migration, aurait pour fonction de rapprocher les harengs mâles des harengs femelles. »

Le terme *maquereau* aurait donc désigné le souteneur avant de désigner le poisson. L'ennui est que *maquereau* avec le sens de poisson apparaît deux siècles avant celui de souteneur et le linguiste Pierre Guiraud a bien montré[1] que le nom de ce poisson vient d'une matrice MAK

1. Pierre Guiraud, *Structures étymologiques du lexique français,* Paris, Editions Payot, 1986 (1re éd., Larousse, 1967).

qui porte le sens de « tache » (comme dans *maculer*) et explique à la fois le *maquereau,* poisson marbré, et les *groseilles à maquereau* qui, contrairement à une légende tenace, ne servent pas à faire une sauce qui accompagnerait ce poisson, mais doivent leur nom au fait qu'elles sont également tachetées.

Quant au *maquereau* au sens de « souteneur » il n'a rien de commun avec son homonyme et vient du néerlandais *makelaer,* formé sur le verbe *makeln,* « faire ». Ce qui compte cependant ici, c'est qu'une fois l'égalité imaginaire *proxénète = maquereau* établie, la matrice sémantique est en place et que l'on va pouvoir prendre tous les noms de poissons ou presque pour désigner le souteneur : *brochet, barbeau, barbillon, dos-bleu, hareng, poiscaille* (au sens collectif : la poiscaille), etc.

De la même façon on voit apparaître au XVe siècle dans l'argot des Coquillards le mot *fourbe,* « voleur », et la parenté de ce terme avec le verbe *fourbir* (nettoyer un objet de métal, le faire briller) a fait du voleur, du fourbe, un « nettoyeur ». Nous avons dès lors une autre image qui à son tour va initier une matrice sémantique : puisque le voleur est un fourbe, que voler est synonyme de fourbir, on pourra nommer cette activité par des verbes comme *laver, nettoyer, blanchir, lessiver, éponger, essorer, rincer, repasser,* d'où des expressions comme « se faire nettoyer » pour « se faire dépouiller »... C'est également cette matrice qui « produit » dans l'argot du XVe siècle le verbe *polir* avec le sens de « voler » ainsi que le mot *polisson,* aujourd'hui passé dans la langue commune.

De la même façon, les mots qui désignent la chance désignent aussi très souvent l'anus. C'est le cas des mots *anneau, bagouse, bague, bol, cul, fion, oignon, pot, prose, vase* qui tous peuvent prendre la place de *cul,* dans les expressions comme *avoir du cul, manquer de cul, quel cul !...*

Cette matrice est expliquée par Albert Simonin de la façon suivante :

« Peut-être s'agit-il dans des expressions vidées de leur contenu originel par un emploi trop courant d'une inconsciente allusion aux réussites exemplaires, notoires à une époque, d'adolescents liés à des personnages puissants de la pègre par d'anormales amours de jeunesse » *(Le petit Simonin illustré).*

Les noms argotiques du policier relèvent du même principe, avec cette fois-ci différentes matrices. La première est fondée sur l'image du policier qui glane des renseignements comme un *poulet* picore des grains. Elle explique donc le paradigme suivant : un *perdreau* (devenu en verlan *drauper*), un *piaf,* un *poulardin,* un *poulman,* une *hirondelle,* la *poulaille,* la maison *poulaga,* la *volaille,* un *royco.* Ce policier « picorant » des indices est le plus souvent en civil, puisqu'il ne veut pas être repéré. La seconde matrice concerne les policiers en uniforme : à côté des policiers en civil, en quête d'indices, il y a les policiers en uniforme, supposés avoir des manières brutales : ce sont des *cognes* (ils cognent), des *bourres* (ils vous bourrent de coups) et de là des *bourrins* ou des *bourriques.* Ces termes recoupent alors une image ancienne : les Coquillards, au XVe siècle, nommaient la police la *roue,* par référence au supplice de la roue, le bourreau était à l'époque le *rouastre* ou le *rouart.* Vidocq donne par exemple *roue* pour police et *roussin* pour policier. Ces mots sont alors chargés d'un sémantisme complexe, dérivant d'unc part de *roue* (référence à la torture), connotant d'autre part le poil roux qui est, depuis Judas, considéré comme le symbole des traîtres, et renvoyant en outre au *roussin,* un cheval de charge ou un âne (le *roussin d'Arcadie*). Or le *bourrin* est, dans l'ouest dę la France, un âne, et un mauvais cheval, un canasson. *Bourre* (comme *bourrique* et *bourrin*) est donc à la croisée de ces différents sens, connotant à la fois le verbe « bourrer » (de coups), le cheval et, derrière lui (sous la forme *roussin*), la roue et les cheveux roux du traître...

Dernier exemple, plus limité celui-ci : la *guigne* au sens de « malchance ». Le mot vient du verbe *guigner,* « jeter un sort », « donner le mauvais œil ». Mais la similitude de forme avec la *guigne* (une griotte) a fait que *cerise* a pris également le sens de malchance.

Dans tous ces cas, on voit que la productivité paradigmatique repose sur une image initiale qui la justifie et rend les mots transparents pour les utilisateurs du code, mais opaques pour ceux qui ne le connaissent pas.

### III. — **Des matrices universelles ?**

Les exemples présentés ci-dessus sont tous empruntés à l'argot français ou à la langue populaire française. Mais l'on peut se demander s'il n'existe pas des images universelles qui, dans les différentes langues, permettent de produire pour le même sens des mots certes différents mais générés par les mêmes principes, les mêmes images.

Certains exemples semblent militer en faveur de cette thèse. Ainsi, la matrice sémantique qui préside aux noms de l'argent n'est pas limitée au français : l'argent se dit *grano,* « grain », en argot italien, *bread,* « pain », ou *dough,* « pâte à pain », en argot anglais, *pasta* ou *trigo,* « blé », en argot espagnol, *psomi,* « pain », en argot grec, et l'on dit en chinois *fan wan,* « bol de riz », pour « boulot », qui est ici non plus un « gagne-pain » mais un « gagne-riz », etc.

De la même façon, à l'époque coloniale, une expression apparaît dans le français parlé au Maghreb pour désigner la transmission rapide et incontrôlée d'une nouvelle : *téléphone arabe.* La formule est intéressante en ce sens qu'elle associe une technologie « moderne » (le téléphone) à un adjectif (arabe) qui dans l'idéologie de l'époque connotait tout ce qui était brouillon, approximatif (on disait par exemple *travail arabe* pour « travail bâclé »). Parallèlement à *téléphone arabe,* et dans le même contexte colonial, on entendait aussi, avec le même sens, *téléphone kabyle.* La formule sera adaptée, au Sénégal, en *téléphone de brousse,* puis, dans toute l'Afrique noire francophone, on trouvera ensuite la même structure, mais fondée cette fois-ci sur la radio : *radio bambou* au Niger, *radio baobab* ou *radio sicap-baobab* au Sénégal, *radio Treichville* en Côte-d'Ivoire, *radio cancan* ou *radio trottoir* dans différents pays. Toutes ces formules populaires sont donc fondées sur une même matrice :

| | | |
|---|---|---|
| *téléphone*<br>ou<br>*radio* | + | *arabe, kabyle*<br>*de brousse*<br>*cancan, trottoir,*<br>*baobab, Treichville,* etc. |

C'est-à-dire que l'on fait d'un côté référence à une technologie sûre, éprouvée, et de l'autre référence à son contraire (les cancans, le trottoir, le quartier populaire de Treichville, etc.).

Parallèlement, le sens évolue, ces expressions ne désignant plus seulement la diffusion rapide et non technologique d'une information mais aussi celle d'une rumeur incontrôlable, ce qu'on appelle par ailleurs des *bruits de chiottes*... Or, on trouve la même tendance dans l'argot militaire américain de la première guerre mondiale tel qu'il a été décrit par Jonathan Lighter : *latrine news, latrine telegraph, latrine rumor,* etc., pour désigner ce que le Français appelle des « bruits de chiottes ».

Il y a donc là tout un domaine à explorer, des études comparatives à mener, afin de savoir dans un premier temps si tous les argots, dans les différentes langues, utilisent le principe de la matrice sémantique, et dans un deuxième temps si ces matrices, comme dans le cas de l'argent, sont semblables ou comparables.

## IV. — Les domaines de l'argot

A côté des procédés argotiques jouant sur le sens il y a tout l'univers sémantique auquel fait référence l'argot : certains signifiés n'ont pas de signifiant argotique tandis que d'autres en ont de nombreux. On trouve en annexe du *Dictionnaire de l'argot* de Jean-Paul Colin et Jean-Pierre Mével un « glossaire français-argot », dont la lecture est de ce point de vue instructive. Sur les quelques centaines d'entrées françaises en effet, on trouve un grand nombre qui n'ont qu'une ou deux « traductions » en argot. C'est par exemple le cas de certains noms de nationalité (*tune* pour *tunisien, porto* pour *portugais, amerloque* ou *ricain* pour *américain,* etc.), de *flotte* pour *bain, zarbi* pour *bizarre, barbot* pour *canard, boguiste* pour *horloger, frangine* pour *sœur* (avec la forme verlan *negifran), carante* pour *table, douloureuse* pour *addition, zef* pour *vent, valoche* ou *valdingue* pour *valise,* etc.

En revanche, il y a moins d'une centaine d'entrées qui sont assorties de nombreuses traductions, parfois plusieurs dizaines. C'est par exemple le cas de l'entrée *argent* (artiche, aspine, atout, auber, balle, beurre, blanc, blé, bob, botte, boulange, boules, braise, broque, bulle, cachet, cadeau, caisse, caleri, candélabre, carbi, carbure, carle, demi-ambe, demi-sac, douille, etc., au total 71 mots). De la même façon *boire* est traduit par 34 mots et une cinquantaine de locutions, *coïter* par 63 mots et 50 locutions, *déféquer* par 13 mots et 18 locutions, *s'enfuir* par 18 mots et 38 locutions, *être en érection* par 5 mots et 19 locutions, *femme* par 40 mots et presque autant de locutions, *voler* par 62 mots et 20 locutions, etc.

Cette abondance de synonymes est caractéristique de l'argot : les langues n'ont en général pas besoin de cinquante mots pour désigner l'argent ou l'acte sexuel, la police ou la prostitution. Mais, de la même façon que les esquimaux (ou les skieurs) disposent d'un vocabulaire étendu pour nommer les différents états de ce que d'autres appellent tout simplement la *neige,* les argotiers utilisent un vocabulaire qui nomme peu de chose, mais le fait avec de très nombreux synonymes. Il faut pour comprendre cette prolifération de synonymes dans quelques domaines sémantiques considérer que l'argot est, à l'origine, un jargon de métier. Nous avons par exemple vu au chapitre précédent que le lexique des Coquillards regorgeait de termes désignant les différentes techniques de vol. Chaque métier à son vocabulaire technique et les truands ont donc le leur : ils constituent une société qui a ses pratiques, ses acteurs, ses ennemis, et de nombreux mots pour les nommer, mais une société qui ne se préoccupe pas de la politique ou de la philosophie... Ainsi l'amour physique ou vénal sera très représenté dans ce vocabulaire, mais le sentiment amoureux en sera presque absent. Ces domaines de l'argot, ces champs sémantiques privilégiés au vocabulaire abondant sont donc en étroite relation avec l'histoire des sociétés argotiques, des groupes sociaux parlant l'argot. C'est un milieu social qui transparait derrière le code, et le vocabulaire nous donne la trace des activités des gens fréquentant ce milieu.

Prenons un premier exemple, celui du vocabulaire de la drogue. De façon générale, la drogue est en argot la *came* (terme issu, par apocope, de *camelote*). Mais, derrière ce mot générique, il y a tout un champ sémantique extrêmement précis.

— La *chnouf,* mot d'origine allemande (*Schnupftabak,* « tabac à priser »), qui a d'abord désigné les drogues qui s'ingurgitent par le nez, avant de désigner, comme la *came,* l'ensemble des produits.

— Le *haschisch,* terme qui en arabe veut dire « herbe », s'appelle aussi le H (par une sorte de sigle oral), le *chanvre* (sur « chanvre indien »), l'*herbe* ou la *luzerne,* mais aussi le *shit,* mot anglais, qui a été directement traduit en français par *merde.* Le *shit* a donné en verlan *teuch* (ou *tosh*) et *haschisch* a donné *chicha.*

— Le *noir* désigne l'opium (*papaver somniferum,* latex de couleur brune, d'où son nom argotique, obtenu à partir des capsules du pavot), qui s'appelle aussi *confiture, op* (par apocope) et *toufiane.* L'opium se fume, et les déchets qui restent dans le culot de la pipe sont appelés le *dross* (en anglais : *scories*).

— La *blanche* désigne l'héroïne (tirée de la morphine base, elle-même tirée de l'opium) que l'on appelle aussi le *brown sugar* (lorsqu'elle est impure), la *poudre,* ou le *smack* (de l'anglais *to smoke,* « fumer »).

— La *neige* désigne la cocaïne, également appelée la *coke* ou la *coco,* le *sucre,* le *crack* (il s'agit alors d'une cocaïne cristallisée que l'on fume), la *dropou* (verlan de poudre), la *renifle* ou la *respirette* (la cocaïne se consomme par aspiration nasale, en général à l'aide d'une paille). Ce mode de consommation a d'ailleurs donné naissance à d'autres termes techniques : on met la cocaïne en *ligne* et on *se fait une ligne.*

Les verbes pour désigner le fait de se droguer sont eux aussi variés : *chnoufer, se camer, se défoncer* ont un sens général (prendre n'importe quelle drogue), *se shooter, se fixer* ou *se piquouser* s'utilisent lorsqu'on se drogue par injection (en général d'héroïne), *se doper* lorsqu'on attend de la drogue une amélioration de nos performances (en particulier, mais pas seulement, sportives), *se speeder* lorsque l'on prend des amphétamines, etc.

Les drogues que l'on consomme par injection se prennent par *piquouse* ou par *fixe,* à l'aide d'une *poussette,* celles que l'on fume se prennent par *joint* ou par *pétard* (devenu *tarpé* en verlan).

On voit donc que, face à un vocabulaire de la langue générale relativement limité *(se droguer, drogues, stupéfiants),* on dispose ici d'une précision beaucoup plus grande, qui relève typiquement du langage technique. Et il en va de même pour ce qui concerne le vol.

Nous avons vu au chapitre précédent que les Coquillards distinguaient soigneusement entre différentes techniques et leurs spécialistes : les *crocheteurs,* les *vendangeurs,* les *beffleurs,* etc. On retrouve cette précision tout au long de l'histoire de l'argot. Ainsi, lors du procès des Chauffeurs d'Orgères, on découvre un lexique du vol très différent de celui que les documents argotiques nous donnaient jusque-là :

*Enturner :* entrer dans une maison.
*Faire mousser la lourde :* ouvrir une porte.
*Faire une maison :* faire un casse, cambrioler.
*Franc :* receleur.
*Grinche :* voleur.
*Grincher :* voler.
*Passer le durier :* escalader un mur.
*Poisser :* voler.
*Torchir les tenants :* forcer les meubles.
*Travailler :* voler.
*Travailler à la bombe :* enfoncer une porte.

Vidocq, quant à lui, dans le lexique français-argot qu'il donne à la fin des *Voleurs,* fournit une liste impressionnante de synonymes apparents, puisqu'ils correspondent tous au mot français « voleur » : *fourlineur, rat ou raton, ramastique ou ramastiqueur, chiffonnier, rabateux ou doubleux de sorgue, sabrieux, détour-*

*neur, garçon de campagne, garçon de cambrouze, graisse ou soulasse, grinche, poisse, ouvrier, marchand de tire-teigne, caroubleur, blaviniste, careur, cambrioleuse, chanteur, charron, riffaudeur, romanichel, tireur, mion de boule, roulottier, tire-laine, cambrouzier, venternier, charrieur, pègre, pégriot, pègre à marteau, boucadier, charrieur à la mécanique, papillonneur, pécoreur, potier, solliceur à la goure, suageur, trimballeur de pilier de boutanche, valtreuzier, vigie, emporteur, empousteur, fileur, avale-tout-cru, aumônier, arcasineur, limousineur, nep, nonne ou nonneur.*

Mais ces mots ne sont pas vraiment synonymes, et, à part *poisse* ou *grinche* qui signifient un voleur de façon générale, chacun désigne une certaine technique de vol, une certaine spécialité. Par exemple les *rats* sont des cambrioleurs de chambres d'auberge, les *suageurs* chauffent les pieds de leurs victimes pour leur faire dire où elles cachent leurs richesses (ce sont des « chauffeurs »), les *papillonneurs* ne volent que les voitures de blanchisseurs, les *tireurs* sont les spécialistes du « vol à la tire », le *caroubleur* est un cambrioleur qui travaille grâce à la complicité des domestiques ou des ouvriers, etc.

Aujourd'hui encore l'argot dispose d'un lexique spécialisé, que le grand public connaît plus ou mieux, au fur et à mesure que diminue la fonction cryptique, mais dont il ne perçoit pas nécessairement les nuances. On distingue ainsi :

— Le vol *à l'étalage,* qui consiste à voler à l'étal d'un commerçant, lorsque celui-ci est laissé sans surveillance.

— Le vol *à la tire,* qui consiste à extraire le portefeuille de la poche de sa victime en s'aidant de deux doigts en pince. Le *tireur* se débarrasse le plus vite possible de ce qu'il vient de voler en le passant à un complice, le *trimballeur.*

— Le vol *à l'arraché,* qui consiste à s'emparer d'un sac, à l'arracher donc, le plus souvent en passant sur une moto ou une mobylette.

— Le vol *à la roulotte,* qui consiste à dévaliser les voitures en stationnement (en particulier les postes de radio), d'où le mot *roulottier* pour désigner les adeptes de cette technique.

— L'*enquillage,* qui consiste à cacher entre les cuisses (les *quilles*) le produit du vol, est pratiqué par une *enquilleuse* (cette technique est typiquement féminine, car elle nécessite le port de la jupe).

Etc.

Certaines de ces techniques ont également un nom en verlan, par exemple *chéara* pour « vol à l'arraché », *reti* pour vol à la tire, etc. Il existe en outre un grand nombre de verbes généraux désignant le fait de voler, comme *chouraver* ou *chourer* (emprunt au romani *chourav,* « voler »), *faucher, taxer, tirer, piquer, étouffer, ratisser, repasser,* etc. Ces mots sont aujourd'hui pratiquement connus de tous, et leur utilisation relève d'un choix stylistique. Mais le vocabulaire du chantage est peut-être moins connu : le *goualeur* ou le *rossignol* (le maître chanteur) pratique la *gouale* ou la *musique* (le chantage)... Enfin, lorsque l'on doit négocier le produit d'un vol, on passe par un *fourgue,* un *fourgat* ou un *carreur* (un receleur).

Ces champs sémantiques extrêmement précis sont donc, nous l'avons dit, typiques des jargons de métiers. Les menuisiers, les cultivateurs, les pêcheurs, etc., ont de la même façon leur vocabulaire, tout simplement parce qu'ils ont besoin de désigner avec précision des objets ou des actions que les non-spécialistes ne distinguent pas. Par exemple la différence entre un *bouvet,* une *doucine,* un *feuilleret,* un *gorget,* un *guillaume,* une *guimbarde,* un *riflard* ou une *varlope* est importante pour un ébéniste alors qu'un non-spécialiste se contentera du mot générique *rabot.*

Pour terminer sur ce point, voici deux exemples d'utilisation littéraire de ces paradigmes. Le premier est une chanson jadis interprétée par Maurice Chevalier, *Appelez ça comme vous voulez,* sous-titrée « Chanson de l'argot » (paroles Jean Boyer, musique Georges Van Parys,1939), qui illustre bien cette abondance de synonymes.

Vous gênez pas y'a du choix dans les mots
Un lit, un plume, un pucier, un pageot
App'lez ça comme vous voulez moi j'm'en fous
Pourvu qu'dedans j'y trouve ma poule
Ma régulièr', ma gonzess' ma houri
Ma musaraign', ma méness', ma souris
App'lez ça comme vous voulez moi j'm'en fous
Pourvu qu'le p'tit homme ait d'gros sous
Du fric, du blé, de l'oseille, de la braise
Des picaillons, du flouze ou bien du pèze
App'lez ça comme vous voulez moi j'm'en fous
Pourvu qu'j'en ai toujours plein les poches
Plein les profond's, les fouilles et le morlingue...

Et le deuxième exemple, contemporain celui-ci, est extrait d'un rap de Tonton David, *Mon CV,* dans lequel l'auteur décrit les différents types de vol qu'il a pratiqué à certaines époques de sa vie. On y reconnaîtra, en verlan, un certain nombre de termes présentés ci-dessus :

79 on se met dans la reti
Pas dans le métro seulement au marché
89 rendez-vous à Vincennes
Au terrain de cross pour taper les CR
81 c'est l'époque cheara
Un 500 XT à la stepo là-bas
82 c'est l'époque la peta
T'as la plume, t'es paré, on y va
84 retour dans la reti
Pas dans le métro, à Orly et Roissy...

## V. — Les images de l'argot

Pierre Guiraud voyait dans l'argot trois types de lexique :

— Un vocabulaire technique, en relation avec les pratiques et le mode de vie de la pègre.

— Un vocabulaire secret « né des exigences d'une activité malfaisante et disposant de moyens de créations verbales originaux ».

— Un vocabulaire « argotique » enfin, anciens mots secrets qui « survivent à leur fonction première comme un signum différenciateur par lequel l'argotier reconnaît et affirme son identité et son originalité »[1].

Nous venons d'évoquer le vocabulaire technique qui définit les domaines de l'argot, nous verrons au chapitre suivant la façon dont l'argot crée des mots « secrets », reste ce que Guiraud appelait le vocabulaire argotique et que je préfère appeler l'univers métaphorique de l'argot, ou les images de l'argot.

Les matrices sémantiques dont il a été question plus haut perdent parfois leur caractère cryptique. Le fait que le voleur soit un *fourbe,* qu'un lien soit ainsi établi entre *voler* et *fourbir,* et que tous les verbes signifiant « fourbir » puissent signifier « voler », « dépouiller » n'est plus vraiment un secret et tout le monde ou presque comprend les expressions qui découlent de cette égalité. Mais ces métaphores empruntant au vocabulaire de la blanchisserie, si elles ne cachent plus vraiment le sens, participent à cette « coloration » argotique de la langue.

Lorsque uriner se dit *changer d'eau ses olives, ouvrir les écluses* ou *égoutter la nouille,* que se taire se dit *boucler sa bavarde, fermer son claque-merde* ou *se mettre un bouchon,* qu'exagérer se dit *chier dans la colle, faire un fromage* ou *grimper aux arbres,* lorsqu'un chauve a

1. Pierre Guiraud, *L'argot,* PUF, 1956, p. 5.

*une casquette en peau de fesse,* qu'un fou est un *agité du bocal,* nous ne sommes plus dans le domaine des formes cryptiques mais dans celui de l'expressivité. Ici encore, une image peut faire école. Prenons l'exemple de *castagne :* c'est dans la langue d'oc que l'argot est allé chercher le mot, avec le double sens de « coup de poing » et de « bagarre », « rixe ». Frédéric Mistral donne dans son dictionnaire provençal-français *(Lou tresor dou felibrige)* deux expressions qui sont à l'origine de cette image :

*La castagno tubo,* « ça chauffe ».
*La castagno peto* « ça va éclater ».

Il s'agit donc des marrons grillant sur les braises, qui éclatent, sautent, s'entrechoquent, comme les coups dans une bagarre. Dès lors le coup se dira également *marron* ou *châtaigne,* et la connotation provençale de l'image crée l'ambiance argotique : ces formules, ces images portent déjà dans leur forme l'indication de leur fonction.

Cette expressivité utilise le plus souvent l'hyperbole, l'exagération. Nous ne sommes jamais, ici, dans la demi-mesure : de façon caractéristique l'argot des jeunes utilise des superlatifs comme *hyper, méga* ou *super,* un *con* est rarement un simple *con* mais un *grand con,* un *super con,* un *sale con,* ou à l'inverse un *petit con.*

De la même façon les nombreux mots argotiques pour désigner la nourriture ou le fait de manger traduisent tous un rapport ironique, dépréciatif, à leur référent : la *ratatouille,* « cuisine grossière », donne le *rata,* la *graille* vient de *graillons,* « restes d'un repas », « morceaux de gras », qui renvoie à *graillonner,* « tousser », « expectorer des mucosités », la *tortore,* la *boustifaille,* le *frichti* ou la *jaffe,* la *bectance* qui vient de *becqueter,* « picorer », la *bouffe,* la *boustiffe* puis la *boustifaille,* la *briffe,* la *croque,* la *croûte,* la *graine,* rien de cela n'évoque vraiment la grande cuisine, et même le mot qui désigne un festin, *gueuleton,* fait, par sa référence à la *gueule,* dans le vulgaire.

Et dans tous les cas c'est la fonction expressive qui domine : le jeu sur le sens a bien à l'origine une fonction cryptique, mais contrairement à ce qui se passe dans un code où la nomination est neutre, le signifiant exprime ici un rapport au monde, un rapport ironique ou critique, violent ou méprisant.

L'argot apparaît ainsi comme l'expression de la détresse, de la misère ou de la rage de locuteurs qui expriment ces sentiments dans la forme de la langue qu'ils utilisent.

Chapitre III

# LES PROCÉDÉS FORMELS DE CRÉATION ARGOTIQUE

> « Le plus souvent, afin de dérouter les écouteurs, l'argot se borne à ajouter indistinctement à tous les mots de la langue une sorte de queue ignoble, une terminaison en aille, en orgue, en iergue ou en uche. Ainsi : *Vousiergue trouvaille bonorgue ce gigotmuche ?* Trouvez-vous ce gigot bon ? Phrase adressée par Cartouche à un guichetier, afin de savoir si la somme offerte pour l'évasion lui convenait. La terminaison en *mar* a été ajoutée récemment. »
>
> Victor Hugo.

Nous avons déjà dit que l'une des façons de masquer le sens était de rendre opaque la forme des mots, de transformer le signifiant. L'argot utilise, à cette fin, deux grands procédés : le retrait d'une partie du mot (troncation) ou l'ajout de quelque chose à ce mot (suffixation) d'une part, la transformation du mot selon des règles fixes d'autre part (les argots à clef).

## I. — Troncation et suffixation

La loi du moindre effort est sans doute l'un des principes directeurs de l'évolution des langues en général et des modifications du lexique en particulier. Elle se manifeste par ce qu'on appelle la troncation, c'est-à-dire la suppression d'une ou plusieurs syllabes à la finale ou à l'initiale des mots. Ainsi la langue commune a-t-elle *prof* pour *professeur, ciné* pour *cinéma* lui-même issu de *cinématographe, métro* pour *métropolitain,* etc.

Cette pratique alimente régulièrement le langage des adolescents, des *impec* (impeccable) ou *sympa* (sympathique) des années cinquante aux *dèbe* (débile) ou *gol* (mongolien, c'est-à-dire idiot) d'aujourd'hui, elle se manifeste dans les différents jargons, ceux des lycéens, des militaires, et on la retrouve bien sûr dans la formation de mots argotiques.

Citons, pour la troncation des finales, le *blase* (blason, c'est-à-dire nom), un *clille* (client), une *occase* (occasion), *perpète* (perpétuité), *vapes* (vapeurs, c'est-à-dire évanouissement), etc. La troncation de l'initiale est pour sa part à l'origine de forme comme *siflard* (pour *sauciflard,* c'est-à-dire saucisson), *ricain* (pour américain), et de dérivations plus complexes comme celle qui part du mot arabe *arbi* (arabe), passe après suffixation par *arbicot* pour aboutir après troncation de l'initiale à *bicot.*

En fait, il faut ici techniquement distinguer entre deux procédés : l'*apocope* d'une part, c'est-à-dire la chute d'un phonème ou d'une syllabe situés à la fin d'un mot (comme dans *prof* pour *professeur*) et l'*aphérèse,* c'est-à-dire la chute d'un phonème ou d'une syllabe situés au début du mot (comme dans *bicot* pour *arbicot*). La langue populaire utilise le plus souvent l'apocope parce qu'elle répond à la tendance au moindre effort tout en conservant les premières syllabes des mots, celles qui apportent le plus d'information et conservent donc le maximum de sens. La suffixation intervient le plus souvent après une apocope, comme dans les exemples suivants :

*Clochard* donne *clodo.*
*Jaloux* donne *jalmince.*
*Chinois* donne *chinetoque.*
*Allemand* donne *alboche.*
*Morpion* donne *morbaque.*
*Cinéma* donne *cinoche.*
*Gigolo* donne *gigolpince.*
*Proxénète* donne *proxo.*
Etc.

Et nous verrons au chapitre IV (« Les couleurs de l'argot ») ce qui apparaît déjà à travers cette liste : les suffixes utilisés (*-o, -oche, -aque, -ard,* etc.) sont des suffixes propres à l'argot, des suffixes rares ou inexistants dans la langue commune, et qui confèrent aux mots ainsi transformés une certaine coloration. C'est-à-dire que la fonction cryptique est ici secondaire : le suffixe ajouté après apocope ne masque en rien le sens, il donne simplement aux mots comme une marque de fabrique.

L'aphérèse, en revanche, faisant disparaître la syllabe initiale, celle qui apporte le plus d'information, est directement liée aux origines cryptiques de l'argot. Si, dans un mot comme *cryptique* par exemple, on supprime une partie de la syllabe finale pour aboutir à *crypt(e),* le résultat de cette apocope n'est en rien comparable à celui de l'aphérèse qui donnerait *tique.* Dans le premier cas la forme indique encore l'origine du mot (et une suffixation en *cryptos* ou *crypto* ne changerait rien à cela) : nous sommes dans un domaine purement stylistique. Dans le second cas, la forme *(tique)* devient plus sibylline, n'indique plus son origine et remplit donc une fonction cryptique. C'est pourquoi la majorité des argots à clef que nous allons présenter ci-dessous interviennent précisément sur la première syllabe des mots.

### II. — Le largonji et le louchébem

A côté de ces transformations que nous pourrions dire « au coup par coup », tel ou tel mot étant tronqué, suffixé, prefixé, sans que l'on sache vraiment pourquoi l'on utilise un procédé ou un autre, il existe des procédés de transformation beaucoup plus formalisés, des codes se ramenant à une formule de base. C'est ce qu'on appelle les argots à clef, dont nous allons décrire quelques exemples.

Depuis longtemps décrit, le louchébem est une variante du largonji, argot à clef qui peut se résumer à la formule suivante :

Ci... → L...Ci

qu'il faut comprendre : la consonne initiale du mot est renvoyée à la fin et remplacée par L. Ainsi *jargon* donne *largonji,* le nom du code. Le louchébem, l'argot des bouchers, se résume à la formule

Ci... → L...Ci + em

et *boucher* donne donc *louchébem.*

La première apparition du largonji remonte au lexique donné par Vidocq, dans lesquel on trouve *lorgne* et *lorgnebé* pour borgne, *Lorcefée* pour la prison de la Force, et *linspré* pour prince. Puis le procédé va se généraliser : *linvé* (vingt sous), *Lochebé* (boche), *laxé* (sac), *en loucedé* (en douce), *louf* (fou, d'où *loufoque, loufdingue*), etc.

Dans les deux cas, largonji et louchébem, nous avons donc un procédé cryptique qui « camoufle » des mots du français populaire et argotique. Il est à ce propos une expression de Gaston Esnault qui explique avec humour que ces procédés sont comme « le coup du père François pour le malheureux substantif, bâillonné par-devant, offusqué par-derrière, étripé jusqu'au cœur » : on ne saurait mieux décrire cette transformation qui atteint la structure consonantique du mot, c'est-à-dire toute sa charpente.

Voici un échantillon, nécessairement un peu artificiel, de cette transformation, recueilli par Françoise Mandelbaum-Reiner dans une boucherie du XIIIe arrondissement de Paris :

« *Lonjourbèm.* C'est *lonbèm ?* C'est *lartipem !* Ça *larchémès !* Quand on *lavèm loirbèm* un *loukès d'loug(e)rok* dans un *larbèm,* si un *lecmé,* à *lotékès d'loimé* pis d'mon *lopainkès,* i'nous fait *lièch,* on *larlépèm l'argomuche* du *louchébèm* et *l'lècmès i'lonprenkès lapuche.* »[1]

Qu'il faut entendre ainsi :

« Bonjour. C'est bon ? C'est parti ! Ça marche ! Quand on va boire un coup de rouge dans un bar, si un mec à côté d'moi pis d'mon copain i'nous fait chier, on parle l'argomuche du boucher et le mec i'comprend rien. »

On voit qu'il y a dans ce texte des mots argotiques non louchébem (*argomuche, lapuche* sur *que lape,* « rien » lui-même dérivé de *que la peau*), des mots argotiques ou populaires transformés selon les règles du louchebèm *(mec, chier)* et des mots du vocabulaire général « louchébémisés ». Mais la formule que nous avons donnée plus haut,

Ci... → L... Ci + em,

n'est pas vraiment respectée ici, ou du moins on en trouve des variantes :

— *Lonjourbèm, lonbèm, lartipem, lavèm, loirbèm, larbèm, larlépèm* sont le résultat de l'application fidèle de cette formule générale.

1. Françoise Mandelbaum-Reiner, Secrets de bouchers et *largonji* actuel des *louchébèm,* in *Langage et société,* n° 56, juin 1991, p. 35.

— *Larchémès, lècmès, lonprenkès, loukès, lopainkès, lotékès* témoignent d'une formule légèrement différente, Ci... → L... Ci + ès.

— *Lecmé, loimé, lièch* correspondent à la formule Ci... → L... Ci, c'est-à-dire qu'il s'agit là de *largonji* et non pas de *louchébèm*.

— *Loug(e)rok* témoigne pour sa part d'une formule qui serait Ci... → L... Ci + ok.

On voit donc que la règle de base du code est susceptible de variations, variations qui concernent ici la finale des mots transformés mais qui pourrraient tout aussi bien concerner l'initiale. A côté du *largonji* on pourrait ainsi imaginer un *nargonji* (avec la formule Ci... → N... Ci), un *pargonji* (Ci... → P... Ci), un *zargonji* (Ci... → NZ... Ci), etc., et dans tous ces cas, c'est bien par une action sur la face signifiante du signe linguistique que procède ici le code. Et il en va de même avec le *verlan*, que nous allons maintenant présenter.

## III. — Le verlan

Il faut toujours distinguer entre l'apparition publique d'un phénomène et sa vie souterraine préalable. Ainsi on pourrait croire que le verlan est apparu avec la chanson de Renaud, *Laisse béton* (« laisse tomber »), qui sonne comme un bulletin dc naissance : avant cette date peu de gens avaient rencontré des mots mis ainsi « à l'envers ». On cntendait cependant parler verlan dans les années soixante, chez des adolescents dans certains quartiers parisiens comme le XIV^e^ arrondissement ou Belleville. Dans un article publié en 1965, Jean Monod signalait que l'on faisait « un large usage du verlan » dans les prisons[1].

1. Jean Monod, Des jeunes, leur langage et leurs mythes, *Les Temps modernes*, n° 242, juillet 1966.

L'écrivain Auguste Le Breton déclarait pour sa part dans une interview accordée en 1985 au quotidien *Le Monde* : « Le verlen, c'est nous qui l'avons créé avec Jeannot du Chapiteau, vers 1940-1941, le grand Toulousain et un tas d'autres. »[1] Le « verlen » ou « vers-l'en » comme l'écrivait Esnault[2], ou encore « verlan » comme on l'écrit aujourd'hui, aurait donc été inventé par quelques « mauvais garçons » au début de la seconde guerre mondiale. Mais on trouve *Lontou* pour désigner le bagne de Toulon dès la première moitié du XIXe siècle, *Sequinzouil* pour Louis XV au XVIIIe siècle et même *Bonbour* pour Bourbon en 1585. Ce jeu sur la forme des mots est donc ancien, beaucoup plus que ne le prétend Auguste Le Breton, mais le procédé était limité, appliqué seulement à quelques termes, et c'est au XXe siècle qu'il va se répandre d'abord dans le « milieu » au cours des années trente, puis parmi une partie de la jeunesse dans les années soixante. Cet usage, devenu essentiellement adolescent, demeurait cependant « souterrain », et la majorité des Français l'ignorait. Il en va bien sûr très différemment depuis que les différents médias, jusqu'à la publicité, se sont emparé du phénomène et le verlan témoigne d'une très grande créativité dans les années quatre-vingt-dix.

Le procédé est une transformation (que j'appellerai *verlanisation*) qui, appliquée à un terme de départ (que j'appellerai l'*amont*), fournit un terme de forme différente (que j'appellerai l'*aval*).

*amont → verlanisation → aval.*

Son fonctionnement est simple dans le principe, à condition de considérer que toutes les syllabes de

1. *Le Monde,* 8-9 décembre 1985.
2. Gaston Esnault, *Dictionnaire historique des argots français,* Paris, 1965, p. 633.

l'amont doivent être ouvertes, c'est-à-dire du type CV (consonne + voyelle). Lorsqu'une syllabe est fermée (CVC) il faut d'abord la ramener à une suite CVCV en ajoutant un « eu », un e « muet » ou « caduc », (ainsi nommé parce qu'il peut tomber), après la dernière consonne. Pierre Léon écrit que le *e* caduc peut en français servir de « bourre » phonétique, afin de faciliter l'articulation[1]. C'est à peu près ce qui se passe dans les cas que nous allons présenter, à ceci près qu'il ne s'agit pas ici de faciliter l'articulation mais de faciliter la transformation. Nous avons donc les cas de figure suivants :

1) *Monosyllabes :*

*a) Lorsque la syllabe est fermée,* on transforme le monosyllabe en dissyllabe. Ainsi : *punk* donne *punkeu* transformé en *keupon, tronche* donne *troncheu* transformé en *chetron.*

Parfois, après cette transformation, on opère une troncation de la finale. Par exemple : *femme* donne *femmeu* puis *meufa* et enfin *meuf, flic* donne *flikeu* puis *keufli* et enfin *keuf,* etc.

*b) Lorsque la syllabe est ouverte,* on inverse l'ordre des phonèmes. Ainsi *fou* donne *ouf, chier* donne *iéche, toi* donne *ouate,* etc.

Viviane Mela[2] cite quelques rares exemples dans lesquels on fait appel à l'orthographe : *cul* qui donne *uk* (transformation sur la base de la prononciation) ou *luc* (transformation sur la base de la graphie) et *nez* qui donne *zen.*

2) *Dissyllabes :*

La transformation consiste à inverser l'ordre des syllabes de l'amont : S1S2 donne en aval S2S1. Ainsi

1. *Phonétisme et prononciations du français,* Nathan, 1992, p. 142.
2. Viviane Mela, Parler Verlan : règles et usages, in *Langage et société,* n° 45, septembre 1988.

l'*envers* devient *verlan,* et donne son nom au code. Citons d'autres exemples : *bonhomme* donne *nombo, taxi* donne *xita,* etc.

Ici aussi on opère parfois une troncation de la finale. Ainsi *maquereau* est d'abord verlanisé en *kroma* puis tronqué en *krom, xita* est tronqué en *xit,* etc.

Notons que parfois une expression peut être traitée comme un dissyllabe et devenir l'amont d'une verlanisation. Ainsi *vas-y* qui devient *ziva,* ou *comme ça* qui devient *sakom.*

3) *Trissyllabes :*

La règle peut s'appliquer de trois façons :

— S1S2S3 donne S2S3S1. Par exemple *cigarette* donne *garetsi.*

— S1S2S3 donne S3S2S1. Par exemple, *calibre* donne *brelica,* ou *portugais* donne *gaitupor.*

— S1S2S3 donne S3S1S2. Par exemple *enculé* donne *léancu.*

La transformation ainsi définie n'est donc qu'un procédé technique tout à fait banal. Il y a en amont de la transformation un mot « normal » et en aval un mot verlanisé. Mais si le procédé connote déjà en lui-même un certain rapport au langage, un groupe, une classe d'âge, etc., l'amont est lui-même significatif. On peut en effet verlaniser n'importe quoi, c'est-à-dire :

— *Des mots du vocabulaire général :* c'est le cas de la majorité des exemples présentés jusqu'ici.

— *Des mots verlans,* par « reverlanisation ». Ainsi *beur* est reverlanisé en *reubeu,* ou *keuf* en *feukeu.*

— *Des mots d'argot* ou *des mots du vocabulaire populaire :* par exemple, un billet de 500 F est d'abord appelé un *pascal* (il porte l'effigie de Blaise Pascal) puis verlanisé en *scalpa* ou le mot *larfeuil* (« portefeuille ») est verlanisé en *feuillar.*

Mais c'est précisément dans ce type de vocabulaire que vont puiser les « verlaniseurs ». Viviane Mela souligne que « on ne verlanise pas “pantalon” mais “futal” ; on préfère “pompes” à “chaussure”, “gueule” ou “tronche” à “figure”... »[1]. C'est qu'en amont de la transformation il y a déjà le lexique utilisé par les bandes, qui est en lui même caractéristique, et l'aval est donc doublement marqué : par l'amont et par la verlanisation.

Qui parle verlan ? Cette forme linguistique est essentiellement aujourd'hui un marqueur d'identité des bandes d'adolescents de banlieues, bandes qui correspondent tout à fait aux gangs jadis étudiés par les sociologues de l'école de Chicago, en particulier par Thrasher : des jeunes rejetés par la société, en situation d'échec scolaire, qui veulent marquer leur différence ou leur révolte, se regroupent pour faire de la musique par exemple, certains deviennent des petits délinquants, vendant un peu de drogue, volant des sacs à main ou des autoradios. Et ils se constituent une culture à eux, à partir d'une musique (le rap), d'un style graphique (les tags), d'une mode vestimentaire (les baskets, la casquette de base-ball) et d'une forme linguistique (le verlan). Tous ces éléments, bien sûr, peuvent changer, mais du point de vue sociologique la situation sera toujours la même : une microsociété, sa culture et sa « langue ».

C'est dire qu'on entend parler verlan dans les banlieues aussi bien qu'à la prison de la Santé (la *tésan* bien sûr) ou à Fleury-Mérogis *(rifleu)* et que, comme pour l'argot de façon générale, les champs sémantiques dans lesquels on verlanise sont particuliers : beaucoup de mots renvoient à la drogue, au vol... On trouve par exemple dans les textes de rap la verlanisation des endroits dans lesquels le vol peut être pratiqué

1. *Op. cit.*, p. 57.

*(tromé, seubu),* des techniques de vol *(keblo, reti)* : l'amont est ici déjà socialement significatif, avant même que les mots ne soient verlanisés.

Notons pour finir que l'on utilise aussi la verlanisation chez des jeunes de situation sociale plus aisée, chez les lycéens des beaux quartiers par exemple, avec une fonction différente : se démarquer des parents, jouer aux durs... Mais il y a verlan et verlan, et le spécialiste pourra reconnaître l'origine sociale d'un locuteur à sa façon d'utiliser ce code.

## IV. — Quelques argots à clef africains

Nous avons vu que le *verlan,* le *largonji* ou le *louchebem* portent dans leur nom même la clef de leur code. Il en va de même des deux argots que nous allons maintenant présenter, argots utilisés par les jeunes maliens à des fins cryptiques « quand ils ne veulent pas être compris des adultes, quand ils veulent cacher un secret à un camarade qui ignore le code, ou tout simplement pour jouer »[1].

Dans le *nkosoro* on ajoute à chaque syllabe deux syllabes parasites commençant l'une par /s/ et l'autre par /r/ et comprenant la même voyelle. C'est-à-dire qu'une syllabe de type *C + a* devient *Casara,* qu'une syllabe de type *C + u* devient *Cusuru,* etc. Ainsi, une phrase comme *né togo Sétigi* (« je m'appelle Sétigi) est-elle transformée en *nesere tosoro gosoro sesere tisiri gisiri.* On voit dès lors que le nom du code, *nkosoro,* est une transformation de *nko,* forme extrêmement fréquente en bambara, qui signifie mot à mot « je dis » et ponctue le discours avec le sens de « je vais parler » ou « voici mon avis ».

1. Abdoulaye Bary, Les jeux de mots en langue bamanan, in *Mandenkan,* n° 12, Paris, automne 1986, p. 40.

Le *nkosoro* constitue donc une sorte de *javanais* bambara, puisque son principe consiste à ajouter des syllabes parasites (comme le *-av-* du javanais introduit systématiquement entre consonnes et voyelles) après chaque syllabe. Le *kokan* serait, pour sa part, plutôt comparable au *verlan,* puisqu'il consiste à inverser l'ordre des syllabes, à mettre les mots « sur le dos » comme le dit le nom même du code (*ko* = « dos », *kan* = « sur » mais aussi « langue », ce qui permet le double sens : « sur le dos » et « langue à l'envers »). Ainsi la phrase *n'taara dugu tigi ka so* (« je suis allé dans la maison du chef du village » ou « chez le chef du village) sera-t-elle transformée en *n rata kudu kiti ka so,* avec remplacement à l'initiale du /g/ intervocalique par un/k/ comme le veut la phonologie de la langue.

Il y a là un trait général à tous les argots à clef, qu'ils soient enfantins, comme c'est ici le cas, ou pas : ils constituent une analyse de la langue. Ainsi la pratique du verlan, nous l'avons vu, nécessite des aménagements phoniques et une conscience de la coupe syllabique, c'est-à-dire un travail sur la langue qui implique une certaine compétence. Dominique Noye, dans une étude consacrée à un argot des jeunes Peuls du Nord-Cameroun comparable au verlan, a même montré que certaines interrogations des linguistes trouvaient leur réponse dans ce code. Il y a en effet en peul une gémination consonantique qui n'est pas très accusée et sur la réalité de laquelle les linguistes s'interrogeaient : fallait-il écrire *pucu* ou *puccu* (« cheval »), *nagge* ou *nage* (« vache »), wicco ou wico (« queue ») ? Or, dans le verlan des jeunes Peuls, ces mots deviennent *cupuc, genag* et *cowic,* ce qui pousse l'auteur à conclure : « C'est ainsi que nous préférons écrire *wicco* plutôt que *wico,* etc. »[1]

1. Dominique Noye, *Un cas d'apprentissage linguistique : l'acquisition de la langue par les jeunes Peuls du Diamaré,* Paris, 1971, p. 64.

Un autre exemple d'argot à clef africain est celui du *raus* de Marrakech qu'a décrit Abderrahim Youssi[1]. Le principe est ici encore plus compliqué puisque la formule de base s'applique à chacune des syllabes du mot. Cette formule est la suivante : CV donne kVuCan.

C'est-à-dire qu'il y a à la fois inversion de l'ordre de la consonne et de la voyelle (CV donne VC) et introduction de sons parasites (k, u et an). Ainsi : *za* (venir) donne *kauzan, lektab* (le livre) donne *lekkabutan, marrakch* (Marrakech) donne *karrakchuman.*

On voit la virtuosité nécessaire pour appliquer cette formule et la compétence linguistique qu'elle implique. Le jeu sur la langue est ici la démonstration que l'on domine la langue.

## V. — Le rhyming slang

Le rhyming slang est généralement présenté comme la langue des Cockney, c'est-à-dire des Londoniens vivant dans la partie de la capitale d'où l'on peut entendre les cloches de Saint Mary le Bow *(born within the sound of Bow bells),* et s'il est vrai que cet argot est né dans ce quartier de la capitale britannique, il s'est très vite répandu à travers le monde, de Londres à la Californie, de l'Irlande à l'Australie, et il y a pris des formes diverses. Mais son principe reste partout le même : remplacer un mot de la langue commune par un autre mot, ou plus souvent par un syntagme, qui rime avec lui. Mais cette définition n'épuise pas la description de cet argot, et les quelques exemples ci-dessous nous

1. A. Youssi, Les parlers secrets, in *Linguistique et sémiotique,* Rabat, 1976.

montrent que, se greffant sur ce procédé formel, d'autres figures de style interviennent.

| *Anglais commun* | *Sens français* | *Rhyming slang* |
|---|---|---|
| 1) *Stairs* | escalier | *apples and pears* |
| 2) *Money* | argent | *bees and honey* |
| 3) *Wife* | femme | *joy of my life* |
| 4) *Wife* | femme | *trouble and strife* |
| 5) *State* | état | *hary Tate*[1]. |

L'exemple 1 est le plus simple : le rapport entre *stairs* et *apples and pears* (« des pommes et des poires ») est uniquement formel et seule la rime semble justifier le choix de ce syntagme pour désigner les escaliers. Les exemples 3 et 4, à l'inverse, reposent, outre la rime, sur une métaphore, que la femme soit considérée comme *joy of my life* (« joie de ma vie ») ou à l'inverse comme *trouble and strife* (« ennuis et querelles »). Il en va de même pour l'exemple 5, puisque *Harry Tate* évoque ici *irritate*, ce qui laisse à penser que l'Etat est irritant... L'exemple 2 se situe à mi-chemin : *bees and honey* (« des abeilles et du miel ») rime bien sûr avec *money,* mais on peut aussi voir dans le choix de cette expression une métaphore universelle qui égale l'argent à la nourriture, ou encore l'idée que l'argent se gagne, difficilement, par le travail, comme l'abeille produit son miel... Et cette part d'indécidable ancre le rhyming slang dans un ensemble d'attitudes linguistiques : il ne s'agit pas simplement de masquer le sens mais aussi de jouer sur les mots, et le jeu sur le sens pointe derrière le jeu sur la forme.

Parfois la rime choisie à la place du terme de départ emprunte à des chansons connues ou à des comptines enfantines. Jean Pauchard cite par exemple *Jack and Jill* remplaçant *hill,* par référence à « Jack and Jill,

1. Les exemples 2 à 5 sont empruntés à Jean Pauchard, Rhyming slang : la rime et la frime, in *Etudes anglaises*, 1981, t. 34, n° 3.

Went up the hill »... ou encore *Dickory dock* pour *clock* venant de « Hickory, dickory dock, The mouse ran up the clock »[1].

Lorsque l'expression qui remplace le terme de départ est entrée dans l'usage, on assiste parfois à une troncation qui fait oublier l'origine rimée du terme argotique. Ainsi *China* pour *mate* ou *too irish* pour *too true* ne ressemblent pas à du rhyming slang puisqu'ils sont le résultat de la troncation de *China plate* et de *too irish stew*... De la même façon, *bottle* (« bouteille ») se dira d'abord *Aristotle* (« Aristote ») puis, après troncation, *Arry* ou *Aris* et finalement *arse* (« cul »)... Les procédés s'emboîtent ainsi les uns dans les autres, et retrouver l'origine (ou l' « étymologie ») d'un terme argotique relève parfois d'une véritable enquête.

Reste la caractéristique remarquable de cet argot rimé, le fait qu'un terme de la langue générale soit presque systématiquement remplacé par un syntagme associant deux mots. C'est-à-dire que va toujours s'ajouter à la recherche de la rime la recherche d'une expression. Jean Pauchard a esquissé une typologie de ce mode de formation. Il utilise pour cela la façon dont Roman Jakobson présentait les deux types de relations que peuvent entretenir des unités linguistiques, relations substitutives dans l'axe de la sélection (le paradigme) et relations prédicatives dans l'axe de la combinaison (le syntagme)[2].

« On a d'abord une substitution, sur l'axe de la sélection, d'une unité à une autre, par similarité phonique : à partir de la langue usuelle, on construit le mot-rime. »

C'est cette substitution qui mène à *pears* à partir de

1. *Op. cit.,* p. 304.

2. Roman Jakobson, Deux aspects du langage et deux types d'aphasie, in *Essais de linguistique générale,* 1, Paris, Editions de Minuit, 1963.

*stairs,* à *honey* à partir de *money,* à *life* à partir de *wife,* etc. Mais le résultat final est plus large, *apples and pears, bees and honey, joy of my life,* etc. « Les relations entre la rime et l'ajout sont complexes », commente Pauchard, et il les classe en quatre catégories :

— Contiguïté positionnelle : on a ainsi *Mae West* pour *breast, Conan Doyle* pour *boil, Friar Tuck* pour *fuck, Oliver Twist* pour *fist,* etc. C'est ici *West, Doyle, Tuck, Twist* qui fournissent la rime, le prénom de l'actrice, du romancier ou des personnages de roman venant ensuite par « contiguité positionnelle ».

— Contiguïté positionnelle et sémantique : dans *cobbler's awls* pour *balls,* ou *elephant's trunk* pour *drunk, awls* (« alènes ») et *trunk* (« trompe ») fournissent la rime et attirent comme naturellement *cobbler* (le cordonnier) et *elephant.*

— Similarité positionnelle et similarité sémantique : *Breast,* dont nous avons vu ci-dessus qu'il était transformé en *Mae West,* peut aussi l'être en *east and west,* par rapprochement de deux points cardinaux.

— Similarité positionnelle et contiguité sémantique : lorsque *bow and arrow* remplace *sparrow,* ou que *rat and mouse* remplace *house, arrow* (« flèche ») et *mouse* (« souris ») sont là pour la rime tandis que *rat* et *bow* (« arc ») sont là par contiguité sémantique.

Tout ceci nous montre que la séparation faite dans ce chapitre et le précédent entre les procédés sémantiques et les procédés formels de création argotique n'est pas aussi évidente qu'il ne le paraît : le sémantique et le formel concourent parfois, comme dans les quelques exemples de « rhyming slang » à la française : *aller à Niort* pour *nier, aller à Montretout* pour *aller à la visite médicale,* etc.

L'étude de Jean Pauchard pose cependant un autre problème. L'auteur tire en effet de tout cela la conclusion que l'argot « ne peut être défini comme un antilangage car la norme n'existe qu'à la condition de pouvoir s'adjoindre une certaine marge de tolérance et jouir d'une certaine latitude : la norme et les écarts sont inséparables ». Mais c'est là oublier que toute fonction se donne une forme et que toute forme a une fonction. Il est évident que les procédés de création argotique nous parlent de la langue, qu'ils en sont le produit. Ainsi, nous l'avons vu, le *verlan* français implique une analyse de la langue en syllabes, tout comme le *kokan* bambara qui en outre respecte la phonologie de la langue (par exemple lorsque *dugu* devient *kudu* et non pas *gudu,* par respect de la neutralisation de l'opposition k/d à l'intervocalique, etc.). Mais il demeure que l'on ne travaille pas ainsi la forme de la langue dans le seul but de montrer qu'on domine le code : ces transformations formelles ont leur fonction sociale, sur lesquelles nous reviendrons en conclusion de ce livre.

## Chapitre IV

# L'ARGOT ET LA LANGUE

> « L'argot vit sur la langue. Il en use à sa fantaisie, il y puise au hasard, et il se borne souvent, quand le besoin surgit, à la dénaturer sommairement et grossièrement. »
>
> Victor Hugo.

L'argot n'est pas une forme séparée de la langue, il en est simplement une des formes, constituant une de ses variétés, et son existence est simplement le signe que la société est divisée en groupes, en « tribus », qui chacun marque de son sceau la langue générale. A. Van Gennep écrivait sur ce point une phrase très sensée : « De même que ces sociétés ont pour règles internes des règles qui valent pour la société entière (sinon elles s'en détacheraient pour former des sociétés autonomes), de même les langues spéciales suivent les règles fondamentales de la langue générale à laquelle elles sont liées. »[1]

On peut aller plus loin et dire que le degré de différence qu'un argot entretient avec la langue commune est fonction du degré de spécificité du groupe qui uti-

1. A. Van Gennep, Essai d'une théorie des langues spéciales, in *Revue des études ethnologiques et sociologiques de Paris,* 1908, repris en 1968, republications Paulet, p. 10.

lise cet argot : plus un groupe est ou se veut différent, plus il aura tendance à utiliser des formes linguistiques différentes. Et cette différence peut donc aller de quelques mots spéciaux à un vocabulaire étendu.

De façon plus générale, la langue a des usages multiples qui correspondent à des fonctions multiples : élargir la communication au plus grand nombre (et cela génère l'émergence de langues véhiculaires, de sabirs, etc.) ou la limiter au plus petit nombre (et cela génère la formation de langues secrètes).

L'argot, dans ses origines, répond bien sûr à cette fonction cryptique, il y répond non pas par la création d'une langue nouvelle mais par un travail sur la langue commune, travail que Victor Hugo, dans *Les Misérables,* définissait ainsi : « L'argot n'est autre chose qu'un vestiaire où la langue, ayant quelque mauvaise action à faire, se déguise. » Oublions le jugement de valeur (« mauvaise action ») : il y a dans cette image du vestiaire une idée fondamentale qui illustre parfaitement les rapports entre l'argot et la langue : parler argot, c'est, d'une certaine façon, changer de vêtement. Et ce « déguisement » passe bien sûr par le lexique, mais, comme nous le verrons, seulement en partie.

## I. — Un sous-système lexical

L'argot, nous l'avons dit, se caractérise surtout par un vocabulaire particulier, au point que pour certains auteurs il se limite à cela. Sur ce plan déjà ses relations avec la langue sont toutes de subordination : on peut changer tous les éléments lexicaux d'une langue, mais la phonologie et la syntaxe demeurent et font que le résultat est toujours un énoncé de la même langue. La bande dessinée des Schtroumpf en est une démonstration par l'absurde. On raconte que ce mot fut inventé par hasard, un jour que le dessinateur Peyo (de son vrai nom Pierre Culliford) déjeunait avec un autre dessinateur, Franquin. « Passe-moi le, la, le truc, le bidule, la schtroumpf... » (pour la salière), dit Peyo à Franquin. Le mot était né, avant les petits personnages que Peyo créa quelques mois plus tard et qui parlent en remplaçant la plupart des mots par *schtroumpf*. La bande dessinée fut ensuite traduite en allemand *(schlumph)*, en anglais et en suédois *(smurf)*, en espagnol *(pitufo)*, en italien *(puffo)*, en japonais *(sumafu)*, en chinois *(lan shin ling)*, etc. Et, dans chacune de ces langues, une fois la forme de base donnée, en découlent d'autres formes qui, bien sûr, respectent la morphologie de la langue : *to smurf, smurfly, smurfed...* en anglais, *pitufar, pitufamente, pitufado...* en espagnol, etc. On peut ainsi s'amuser à composer des phrases plurilingues, ou plurischtroumpfes, comme *le smurf a pitufé schtroumpfement le sumafu sur le puffo* : comprenne qui veut mais, syntaxiquement, *cette schlumph sonne puffement comme une lan shin ling française,* parce qu'il a bien fallu choisir une langue et qu'on y trouve des éléments grammaticaux *(le, sur...)*, des marques morphologiques *(-é, -ment)* et une structure syntaxique qui non seulement « sonnent » français mais encore signalent sinon des sens du moins des fonctions : *puffement,* même sémantiquement obscur, est évidemment un adverbe, *pitufé* un participe passé, etc.

Sur le plan théorique, cette « langue schtroumpfe » nous aide à réfléchir sur le statut des argots et plus généralement des langues spéciales. Dans tous les cas, en effet, nous avons le même principe : un sous-système qui respecte les structures phonologiques, morphologiques et syntaxiques de la langue, et s'en distingue essentiellement sur le plan lexical et métaphorique. Mais ce sous-système lexical met en œuvre des procédés semblables à ceux de la langue commune. Comme elle il emprunte à d'autres langues (*berge,* « année », vient du romani *berj,* de même sens, *bésef,* « beaucoup », est emprunté à l'arabe, *glass,* « verre », à l'anglais, etc.). Comme elle il utilise des noms propres pour construire des noms communs : à côté de *poubelle,* sur le nom du préfet Poubelle, on a *bénard,* sur le nom d'Auguste Bénard, un fabricant de pantalons, ou *godillot,* sur le nom d'Alexis Godillot, fabricant de chaussures...

Mais, surtout, l'argot reprend souvent les expressions de la langue générale, en y remplaçant un mot par sa variante argotique, exactement comme dans le cas de la « langue schtroumpfe ». Ainsi, dès lors que *pogne* signifie « main », on aura les expressions *réussir haut la pogne, passer la pogne,* et puisque *brèmes* signifie « cartes », on aura les expressions *brouiller les brèmes* ou *être en brème.* On trouve dans le vocabulaire de Vidocq les mots *flacul* ou *flac* pour sac, et le mot *médaillon* pour « postérieur ». Dès lors *médaillon de flac* sera le correspondant argotique de l'expression *cul-de-sac.* Puisque *caner* signifie « mourir » et que *pégrenne* signifie « faim », on dira *caner la pégrenne* pour « mourir de faim ». De même, l'argot reprend les homonymies ou les polysémies de la langue : si *rendre* signifie à la fois dans la langue commune « re-donner » et « vomir », *aller au refile,* formé sur le verbe *refiler* (« donner », « rendre ») aura le même double sens. Une *pipe* a pris en argot le sens de « fellation » et comme l'instrument servant à fumer se dit aussi *bouffarde,* ce terme va signifier à la fois une « pipe » et une « fellation », reprenant donc le double sens de *pipe.*

Nous avons vu au chapitre II comment les mots *rousse* ou *roussin* en étaient venus à désigner un policier. Ce dernier terme a donné l'expression *ça sent le roussin,* c'est-à-dire « il y a du policier dans l'air », avertissement qui a été peu à peu déformé en *ça sent le roussi.* Il y a en effet en français commun une expression, *ça sent le brûlé,* signifiant que les choses peuvent mal tourner, qu'il y a péril en la demeure. Sur ce modèle, l'argot a créé *ça sent le cramé,* de même sens, et *roussin/roussi* a été réinterprété : l'expression d'origine, *ça sent le roussin,* a donc été à un premier niveau sémantique complètement modifiée (on passe de l'idée de policier à celle de feu) en conservant à un second niveau le même sens (ça sent mauvais). Dans le même ordre d'idées, on *brûle,* on *grille* ou on *crame* un feu... Dès lors que *derche* signifie « cul », on pourra dire *faux derche* pour *faux cul, l'avoir dans le derche* pour *l'avoir dans le cul,* etc.

De ce point de vue, donc, le degré d'indépendance de l'argot par rapport à la langue commune est très relatif puisqu'il semble se contenter de remplacer un mot par un autre en conservant toutes les autres structures du code de départ : l'argot français reste du français, l'argot anglais reste de l'anglais, etc. L'argot apparaît ici comme un « calque » de la langue, n'importe quel mot argotique va pouvoir être utilisé dans les expressions dans lesquelles entre son équivalent de la langue commune. C'est pourquoi certains auteurs le considèrent uniquement comme un système lexical, mais nous verrons qu'il utilise aussi d'autres moyens.

## II. — L'argot fournisseur de lexique

Cet ensemble lexical que constituent les argots successifs a sans cesse alimenté le lexique général, et cette circulation d'un niveau de langue à l'autre nous montre que les formes méprisées, rejetées par la norme, ont souvent pour avenir de s'intégrer à la langue recherchée. Voici une liste non limitative de ces mots pèlerins.

*Abasourdir :* on trouve dans le jargon du XVII^e^ siècle le verbe *basourdir,* « tuer » ou « mourir », qui s'emploie jusqu'au XIX^e^ siècle avec le même sens.

*Basourdir* vient de *bazir* qui dans le vocabulaire des Coquillards, au XV^e^ siècle, signifiait « tuer ». Il a donc donné *abasourdir.*

*Abouler :* terme dialectal passé en l'argot avant de revenir dans la langue populaire.

*Amadouer :* ce verbe désignait dans l'argot du XVII^e^ siècle une pratique propre aux mendiants, celle qui consistait à se frotter le visage avec de l'amadou afin de le jaunir pour paraître malade et ainsi apitoyer les riches, les « amadouer »...

*Balade* est un terme technique du vocabulaire des Coquillards qui désignait la mendicité. Le mot *baladeur* désigne donc d'abord un malfaiteur, puis un feignant, et il a pris aujourd'hui celui de promeneur.

*Baluchon,* terme argotique que l'on trouve chez Vidocq avec le sens de « paquet ».

*Bouffarde :* « pipe », s'employait au XIX^e^ siècle uniquement en argot, avant d'être adopté par la langue commune.

*Cambrouse :* mot qui désigne dans l'argot du XIX^e^ une baraque foraine puis la « campagne ».

*Camelote,* de *camelot,* « marchand ambulant », signifie en argot du XIX^e^ « marchandise », puis « marchandise volée. » Le mot passe ensuite dans la langue commune.

*Camoufler* et *camouflage :* le verbe camoufler signifiait chez Vidocq « se déguiser », se passer de la fumée sur le visage à l'aide d'une *camoufle,* une chandelle, pour se rendre méconnaissable.

*Drille* qui est dans le jargon du XVII^e^ siècle le nom du soldat, plus particulièrement du soldat vagabond, est à l'origine de l'expression *joyeux drille.*

*Frangin :* dans l'argot du XIX^e^ siècle, signifiait déjà « frère ».

*Grivier* et *Grivois* signifient dans l'argot du XVIII^e^ siècle « soldat ». Le mot grivois passe ensuite en français général avec le sens actuel.

*Chouette* apparaît chez Vidocq avec le sens de « beau », « bon ». Le terme n'a rien à voir avec le nom de l'oiseau nocturne mais remonte au vieux français *choëtter,* « faire la coquette ».

*Larbin* a signifié en argot « mendiant », puis « valet du bourreau », avant de prendre dans la langue commune le sens de domestique, avec une nuance de mépris.

*Maquiller :* dans le jargon du XVII^e^ siècle, signifie « voler », puis prend le sens de « tricher aux cartes » *(maquiller les brèmes)* et passe ensuite à la langue générale avec le sens de « farder ».

*Mioche* apparaît dans le vocabulaire des Chauffeurs d'Orgères avec le sens d'apprenti voleur.

*Narquois* qui désignait en argot un soldat mendiant est passé, comme *drille,* dans le vocabulaire général.

*Paquelin :* au XVIIe siècle, signifie « pays », puis chez les Chauffeurs d'Orgères « village ». Il passe dans le vocabulaire général avec la prononciation *patelin.*

*Rupin :* signifie dans le jargon du XVIIe siècle « gentilhomme », chez les Chauffeurs d'Orgères il signifie « bourgeois » et passe ensuite dans la langue courante avec le sens de « riche ».

*Trac :* signifie chez Vidocq « peur ». Le mot est à l'origine de l'expression *avoir le trac.*

On voit que ces mots issus des argots historiques ont, selon les cas, gardé une connotation populaire ou péjorative (par exemple *abouler, larbin, patelin...*) ou perdu toute trace de leur origine argotique (par exemple *amadouer, baluchon, grivois, maquiller, trac...*).

## III. — Le rapport à l'écrit

L'argot est essentiellement d'usage oral, même s'il existe, bien sûr, dans la littérature, et, surtout, ses modes de création, de néologie, etc., sont essentiellement oraux. L'apocope ou l'aphérèse par exemple, procédés typiquement oraux, s'opposent ainsi à la siglaison, procédé typiquement écrit : il faut pour créer un sigle connaître l'orthographe, savoir par quelles lettres commencent les mots, mais l'orthographe est inutile pour passer de *mongolien* à *gol,* de *con* à *connard* ou de *l'envers* à *verlan.*

Si l'argot est donc du côté de l'oral, ses relations à l'écrit sont cependant intéressantes, et nous allons les esquisser de deux points de vue.

Il y a, d'abord, les références à la forme écrite des mots transformés. Ainsi, lorsque le mot *cul* devient, en verlan, *luc,* c'est évidemment par référence à la lettre *l,* non prononcée. On trouve aussi des « sigles oraux » dans certains argots. Jonathan Lighter signale par exemple dans l'argot militaire américain *P and S* pour

*Pick and Shovel work* (travail au pic et à la pelle), ou *P and P* pour *Piss and Punk* (régime au pain et à l'eau)[1].

A l'inverse, l'ironie qu'exprime souvent l'argot peut passer par la remotivation de sigles courants ou par le fait de considérer comme un sigle un mot qui n'en est pas. C'est le cas dans le français populaire du Congo, lorsque le sigle SIDA est interprété comme « syndrome imaginaire pour décourager les amoureux », lorsque la marque de bière *Primus* est interprétée comme le sigle du syntagme « Papa rentre immédiatement à la maison tu uses ta santé », ou lorsque le mot *sapeur* est interprété comme le sigle de « société des ambianceurs et personnes élégantes ».

Dans tous ces cas, il est clair que les néologismes *(luc* ou *P and S)* ou les jeux de mots (« syndrome imaginaire pour décourager les amoureux » pour SIDA) sont fondés sur une connaissance de la langue écrite du côté de l'encodage comme du côté du décodage.

Le second point de vue concerne la façon dont l'argot est traité par écrit, en particulier dans la littérature. Les choses sont ici très différentes. Il ne s'agit plus en effet d'un problème lexical mais d'un problème phonétique, les auteurs s'efforçant de suggérer dans leur graphie une certaine prononciation.

Considérons par exemple les premiers vers de ce poème de Jehan Rictus :

> Merd' ! V'là l'Hiver et ses dur'tés,
> V'là l'moment de n'pus s'mettre à poils :
> V'là qu'ceuss' qui tienn'nt la queue d'la poêle
> Dans l'Midi vont s'carapater

1. Jonathan Lighter, The Slang of American Expeditionary Forces in Europe, 1917-1919, in *American Speech,* Spring-Summer 1972, Columbia University Press, 1975, p. 85.

V'là l'temps ousque jusqu'en Hanovre
Et d'Gibraltar au cap Gris-Nez
Les borgeois, l'soir, vont plaind' les Pauvres
Au coin du feu... après dîner.

On y trouve, certes, quelques mots argotiques ou populaires *(à poil, se carapater),* mais le ton général du passage tient beaucoup plus au système de transcription, aux élisions (notées par des apostrophes), aux variations vocaliques *(ceuss', borgeois),* aux chutes de consonnes *(pus, plaind'),* aux formes *(ousque),* etc.[1].

On trouve les mêmes astuces orthographiques destinées à noter une prononciation populaire ou argotique dans la chanson de Mac Nab, *Le grand métingue du métropolitain* (les passages en question sont ci-dessous mis en italiques) :

Mais tout à coup on entend du bastringue
C'est un mouchard qui veut fair' le malin
Il est venu pour troubler le *métingue*
Le grand métingu' du Métropolitain.

Moi, *j'tombe* dessus et pendant qu'il proteste
D'un grand coup d'poing *j'y enfonc'* son chapeau
Il déguerpit sans demander son reste
En faisant signe aux *quat'* municipaux
A la faveur de *c'que j'étais brind'zingue*
On m'a conduit jusqu'au poste voisin
Et c'est comm' ça qu'a fini le métingue
Le grand métingu' du Métropolitain.

Peuple français, la Bastille est détruite
Et y *a z'encore* des cachots pour tes fils
Souviens-toi des géants de quarant'-huite
Qu'étaient plus grands *qu'ceuss' d'au jour* d'aujourd'hui
Car c'est toujours *l'pauvre ouverrier* qui trinque
Mêm' qu'on le fourre au violon pour rien
C'était tout d'même un bien *chouett' métingue*
Que le métingu' du Métropolitain.

1. Jehan Rictus, *Les soliloques du pauvre,* Paris, Seghers, 1971, p. 9-10.

Et si ces procédés donnent au texte un aspect argotique, c'est bien que l'argot est quelque chose de plus qu'un sous-système lexical, qu'il a sa syntaxe, sa phonétique, qu'en bref il est peut-être moins dépendant de la langue qu'on ne le dit généralement. Ce sont ces problèmes que nous allons maintenant examiner.

## IV. — Une syntaxe de l'argot ?

Ce que l'on pourrait croire être des traits syntaxiques de l'argot relève plutôt de la difficulté à séparer sur le plan théorique la syntaxe de la sémantique. En effet, bien souvent le sens d'un signe linguistique procède autant d'un rapport interne entre le signifiant et le signifié que du mode d'insertion de ce signe dans la phrase, c'est-à-dire de certaines relations syntaxiques. Prenons un exemple verbal, celui des trois structures suivantes :

*C'est* + verbe au participe présent.
*Je suis* + verbe au participe passé.
*Ça me* + verbe conjugué.

Les verbes français qui peuvent entrer dans ces trois structures sont assez rares : des verbes courants comme *vivre, aimer, manger, aller,* etc., ne le peuvent pas, des formes comme *je suis vécu, ça me vit, c'est aimant,* etc., étant agrammaticales. Par contre, si nous inventons un verbe, par exemple *schtroumfer,* et que nous produisons les phrases *c'est schtroumfant, je suis schtroumfé, ça me schtroume,* le verbe se trouve immédiatement associé à un paradigme (ennuyer, fatiguer, énerver, choquer, satisfaire, exciter...), à un ensemble de verbes qui ont en commun un trait sémantique : tous font référence à un sentiment ou une sensation. Et le verbe *schtroumfer* prend alors un sens approximatif qui, selon le contexte, ira plutôt du côté de *satisfaire* ou du côté de *choquer.*

C'est de ce point de vue qu'il faut analyser les formes argotiques présentant une syntaxe particulière. Il y a par exemple un verbe *craindre* qui peut être employé transitivement dans la langue générale *(je crains les retombées de cette crise* ou *je crains les réactions de telle personne)* et intransitivement dans la langue argotique *(ça craint)* avec chaque fois un sens différent.

De même le verbe *assurer,* normalement transitif (on assure quelque chose ou quelqu'un), prend le sens de « être à la hauteur » lorsqu'il est employé intransitivement : *il assure.*

Un autre point sur lequel l'argot innove notablement sur le plan syntaxique est la transposition, procédé consistant à faire passer un mot d'une catégorie syntaxique à une autre. Le français populaire utilise parfois cette figure, dans des formules comme *je suis colère* par exemple, où un substantif est utilisé en fonction d'adjectif. De la même manière, on rencontre souvent en argot un adjectif utilisé comme adverbe : *je le fais facile* pour *je le fais facilement, il cause tranquille* pour *il cause tranquillement, elle a cuisiné spécial pour moi* pour *spécialement pour moi,* etc.

Nous ne sommes plus ici dans le cadre d'une fonction cryptique, mais plutôt dans celui d'une fonction stylistique : *je le fais facile* ne cache en rien le sens mais donne à la langue une forme particulière.

Dans le domaine de la morphologie, l'argot a aussi ses spécificités. Nous n'en prendrons ici qu'un exemple : la tendance à créer un verbe en ajoutant le suffixe *-arès* après un verbe de la langue générale, verbe qui devient ainsi invariable (notion certes étrange pour la langue française dans laquelle la morphologie du verbe est passablement compliquée). On peut ainsi exprimer :

— Un participe passé : *encaldossarès en moins de deux, cette fiotte.*

— Un infinitif : *la ponette elle s'entend à emballarès les clilles.*

— N'importe quel verbe conjugué : *il envelopparès facile les caves,* etc.

Et, de façon plus générale, mais cela ne nous retiendra guère ici, l'argot utilise la syntaxe du français populaire : redoublement du sujet à la troisième personne *(le mec il a dit),* remplacement de *dont* par *que (c'est ce que j'ai besoin, ce que je parle...),* etc.

## V. — **Les couleurs de l'argot**

Il est fréquent qu'entendant dans la rue parler une langue que l'on ne comprend pas on la reconnaisse cependant : on sait ou l'on croit savoir qu'il s'agit d'allemand, d'arabe ou de portugais parce qu'on a une image phonique de ces langues, que l'on fait par exemple un rapport entre les chuintantes et le portugais, les emphatiques et l'arabe, les gutturales et l'allemand, etc. Derrière ces images que nous pourrions appeler des « pseudo-savoirs » (mais des pseudo-savoirs qui fonctionnent souvent et permettent effectivement de reconnaître à l'oreille des langues), il y a des éléments objectifs (par exemple les chuintantes du portugais) et subjectifs qui composent une sémiologie des langues et de leurs locuteurs : les Chinois dit-on, parlent du nez, les Italiens parlent avec les mains, etc.

Mais si le degré de différence qu'un argot entretient avec la langue commune est fonction du degré de spécificité du groupe qui utilise cet argot, on peut comprendre qu'il existe également une sémiologie de l'argot et des argotiers, sémiologie à la fois encodée, volontairement produite par les locuteurs, et imaginaire. Dans le continuum linguistique dont dispose un locuteur, dans cette grammaire qui lui permet de produire des énoncés en langue recherchée, courante, populaire ou argotique (nous reviendrons sur ce point en conclusion), il n'y a pas que des éléments lexicaux ou syntaxiques formellement identifiables, des variables indiquant à quel « niveau » de langue nous nous trouvons. Il existe également un ensemble de faits plus flous, dont on pourrait penser qu'ils ne jouent aucun rôle dans la transmission du sens, qu'ils connotent plus qu'ils ne dénotent. C'est cet ensemble que j'appellerai les *couleurs de la langue* et que nous allons évoquer ci-dessous.

**La forme phonique.** — Gérard Dumestre, décrivant l'argot bambara, souligne que l'on trouve dans les mots argotiques ce qu'il appelle des « anomalies phonétiques » : des finales consonantiques (alors que la structure canonique de la langue est une succession de consonnes et de voyelles : CVCV), des consonnes sourdes intervocaliques (alors que l'opposition k/g par exemple est neutralisée en cette position au bénéfice de la sonore), des phonèmes rares ou inconnus dans la langue, etc.[1].

Ces « anomalies » se manifestent d'abord dans des mots d'emprunts, essentiellement au français, ou dans des mots mixtes. Par exemple, pour désigner la « fille », la « copine », on trouvera *gonas* (sur le bambara *go,* « petite amie », avec la finale du français *conasse*), *manes* (sur l'anglais *man* et avec la finale féminine française *-esse*) ou *supunyas* (*supu,* du français *soupe,* désigne en argot bambara une « nénette »,

1. Gérard Dumestre, L'argot bambara : une première approche, *Mandenkan,* n° 10, Paris, INALCO, 1985.

*nyas* est composé d'un adverbe bambara signifiant « beau » et d'une finale inspirée de la finale péjorative française *-asse*). Par contre, dans les emprunts non argotiques, la forme du mot français est « bambarisée » : *poison* donne *posoni* (avec un /s/ à la place du /z/), *automobile* donne *mobili* (le /i/ final assurant la structure CVCV), etc. Dumestre commente ainsi cette différence de traitement : « Contrairement à l'usage courant, qui veut que les emprunts au français se coulent dans le moule phonique du bambara, les mots de la langue verte conservent leurs particularismes exotiques qui les rendent à la fois étranges et plaisants. »[1]

Il y a là quelque chose de général : l'argot français est souvent perçu comme allant de pair avec l'accent parisien, le *rhyming slang* comme allant de pair avec l'accent cockney, etc. En fait, il n'y a évidemment pas une phonologie particulière à l'argot (elle reste la même que celle de la langue commune), mais il existe cependant des caractéristiques phonétiques qui connotent, selon les cas, la virilité, l'exotisme, etc. On trouvera par exemple dans le parler des jeunes « beurs » et « blacks » des bandes de rappeurs et de tagueurs des banlieues des grandes villes (Paris, Marseille, Lyon) quelques caractéristiques comme un accent de phrase ou de mot tombant sur la pénultième (l'avant-dernière syllabe), une articulation des voyelles très ouvertes et à l'arrière, etc., le tout donnant à leur façon de parler une forme phonique qui peut faire penser à un substrat arabe (un « accent » arabe). Mais la notion de substrat ne suffit pas ici à expliquer ces caractéristiques formelles : ces jeunes locuteurs ne parlent pas tous l'arabe, sont nés en France, en bref ils ont toutes les raisons de parler un français non identifiable. Mais

1. *Op. cit.*, p. 54.

ils veulent justement être identifiés : ils tiennent à produire une culture identitaire qui passe par leur musique, leurs vêtements, leurs graphismes et leur façon de parler la langue commune.

Préfaçant un ouvrage d'Ivan Fonagy, Roman Jakobson citait une lettre de Marx à Engels dans laquelle il s'amusait pour traduire une moue dédaigneuse à écrire le mot allemand *sehr* (« très », « beaucoup ») *söhr,* signalant ainsi une prononciation beaucoup plus arrondie. Il y ajoutait l'exemple d'un personnage d'un roman de Tourgueniev, un valet, qui pour prendre de grands airs prononce *tüpür* à la place de *teper'* (« maintenant »). Et il commentait : « On a envie de chercher d'autres exemples du même procédé formel et affectif, et de vérifier sa fréquence dans les langues du monde. »[1] Dans le même livre, Fonagy traite de ce qu'il appelle « les voyelles vulgaires », notant que les voyelles postérieures et les voyelles ouvertes sont senties comme plus vulgaires (ou moins distinguées) que leurs correspondantes antérieures ou fermées :

— L'antériorisation de l'articulation semble correspondre à une tendance inconsciente à conférer au *flatus vocis* une nuance plus distinguée.

— De deux variantes vocaliques, ce sera généralement la plus ouverte qui sera sentie « vulgaire »[2].

On peut donc analyser la façon de parler français signalée ci-dessus comme la traduction phonétique d'une volonté de se démarquer d'une norme, celle du français standard. Pierre Bourdieu avait déjà noté que l'argot était « la seule affirmation d'une véritable contre-légitimité en matière de langue »[3], et cet

1. Roman Jakobson, *in* Ivan Fonagy, *La vive voix,* Paris, Payot, 1983, p. 8.
2. Ivan Fonagy, *La vive voix,* p. 84.
3. *Ce que parler veut dire,* Paris, Fayard, 1982, p. 67.

exemple illustre bien son propos : voulant marquer leur spécificité sociale, certains locuteurs impriment leur différence postulée dans la forme même de leur langue. C'est le cas de certains groupes politiques dont les membres ont tendance à parler comme leur « chef », et c'est pour ce qui nous concerne celui des locuteurs de l'argot qui, en dehors des formes lexicales et syntaxiques caractéristiques de cette forme linguistique, utilisent une « couleur » phonétique particulière.

**Les suffixes argotiques.** — Il en va de même des suffixes dominant dans les formes argotiques. Une étude de Jonathan Lighter[1] sur l'argot des militaires américains pendant la première guerre mondiale montre par exemple que les abréviations utilisent de façon préférentielle :

— Des troncations en /o/ :
*ammo* pour *ammunition* ;
*bolo* pour *bolchevik* ;
*commo* pour *communications.*

— Des troncations en /i/ :
*aussie* pour *australian* ;
*bivie* pour *bivouac* ;
*civvy* pour *civilian* ;
*divvy* pour *division.*

On voit dans ces quelques exemples que la voyelle finale (/o/ ou /i/) est le plus souvent ajoutée : la troncation de *ammunition* devrait donner *ammu,* celle de *australian* devrait donner *austra* ou *aus.* Il en va de même en français. On y trouve en effet des *formes finales tendancielles* (comme le /o/ ou le /i/ que nous

1. Jonathan Lighter, The Slang of American Expeditionary Forces in Europe, 1917-1919, in *American Speech,* Spring-Summer 1972, Columbia University Press, 1975.

venons de voir en anglais) que l'on peut ramener à deux groupes :

— Des suffixes (apparaissant après troncation) que l'on n'utilise pas dans la langue commune : *-ieux* comme dans *classieux* (pour classique), *-os* dans *matos* (pour matériel), *ringardos* (pour ringard) ou *gratos* (pour gratuit), *-oche* dans *boche* (allemand — alboche — boche), *fastoche* (facile), *-ot* dans bicot (le mot arabe *arbi* ayant donné *arbicot* puis *bicot*), *parigot* (Parisien), etc.

— Des suffixes utilisés dans la langue commune avec une nuance péjorative comme *-ard* (dans *vantard*) : *potard* (potentiomètre) dans l'argot des techniciens de la radio, *connard* (con), *zonard, ringard,* etc.

L'origine de ces suffixes n'est jamais claire, et la mode en change souvent : selon le temps et le lieu on utilisera plutôt *-os, -ard, -ot*... Balzac nous donne une belle illustration de ces mouvements de mode affectant la langue dans *Le Père Goriot* :

« La récente invention du Diorama, qui portait l'illusion de l'optique à un plus haut degré que dans les Panoramas, avait amené dans quelques ateliers de peinture la plaisanterie de parler en *rama,* espèce de charge qu'un jeune peintre, habitué de la pension Vauquer, y avait inoculée.

— Eh bien ! *monsieurre* Poiret, dit l'employé au Muséum, comment va cette petite *santérama* ? Puis, sans attendre sa réponse : Mesdames, vous avez du chagrin, dit-il à Mme Couture et à Victorine.

— Allons-nous *dinaire* ? s'écria Horace Bianchon, un étudiant en médecine, ami de Rastignac, ma petite estomac est descendu *usque ad talones.*

— Il fait un fameux *froitorama* ! dit Vautrin. Dérangez-vous donc, père Goriot ! Que diable ! votre pied prend toute la gueule du poêle.

— Illustre monsieur Vautrin, dit Bianchon, pourquoi ditesvous *froitorama* ? Il y a une faute, c'est *froidorama.*

— Non, dit l'employé du Muséum, c'est *froitorama,* par la règle : j'ai froit aux pieds. »

Il ne s'agit pas vraiment ici d'argot, mais ce mélange de suffixation inhabituelle, de latin et de prononciation de *e* caducs constitue la forme d'un langage de sousgroupe, de microsociété, celle de la pension Vauquer, et ce rapport entre un groupe et sa façon de parler est, lui, caractéristique de la genèse des formes argotiques.

Dans le même ordre d'idées, nous avons vu au chapitre III que le *rhyming slang* anglais remplace presque systématiquement un mot par une expression, le plus souvent composée de deux mots reliés par la conjonction *and* : *wife* devient ainsi *trouble and strife* ou *stairs apples and pears.* Ce procédé, qui a bien entendu pour résultat de rallonger singulièrement les phrases, leur donne en même temps une apparence très caractéristique, au point qu'on peut ne pas comprendre ce qui se dit mais savoir qu'il s'agit de *rhyming slang...*

Ce qui importe ici, c'est que l'adjonction par exemple du suffixe *-os* à un adjectif, qu'il soit déjà argotique comme dans *peinardos,* ou qu'il ne le soit pas, comme dans *tranquillos,* ne joue aucune fonction cryptique, ne masque en rien le sens, mais fait cependant du sens à un autre niveau. Cette coloration populaire ou argotique joue le même rôle que certaines façons de s'habiller, de marcher, ou que l'affirmation de certains goûts : une fonction identitaire.

Dans tous ces cas, donc, la forme phonique donne à la langue un aspect que le sens commun peut qualifier de vulgaire, de populaire, d'argotique, ces adjectifs n'ayant bien entendu aucun sens scientifique. Ce qui compte ici, c'est que, face aux formes légitimes, à la langue standard, au « beau » parler, se développent des pratiques phonétiques déviantes qui servent à la fois de signes identitaires et d'indices de classement : les jeunes beurs par exemple encodent par leur phonétique même leur volonté d'appartenance à un groupe et donnent en même temps à entendre aux autres leur différence encodée. C'est-à-dire que l'on peut considérer ces formes (ouverture des voyelles, accentuation sur la pénultième, suffixation parasite...) comme des variantes, au sens où l'entend par exemple William Labov, constituant donc une variable : chaque fois qu'il existe différentes façons de dire la même chose, il doit y avoir du sens derrière cette variation, et chaque fois qu'un groupe social est caractérisé par une variante donnée, alors cette variante constitue un enjeu sociolinguistique.

## VI. — De la fonction cryptique à la fonction emblématique

Le lexique de l'argot est donc le résultat d'un travestissement : on déguise les mots et, comme dans tout bal masqué, ce déguisement a deux fonctions : n'être pas reconnu bien sûr, c'est la fonction cryptique classique, mais aussi représenter quelqu'un d'autre, être pris pour quelqu'un d'autre, et c'est alors une fonction sémiologique qui intervient. Cette double fonction, l'une cryptique et l'autre sémiologique ou symbolique, est caractéristique de tous les argots. De ce point de vue, il est intéressant de porter sur l'argot un regard sociolinguistique. Françoise Gadet a noté que la langue populaire et l'argot sont du point de vue lexical difficilement distinguables, « car les modes de formation sont communs, hypertrophiant des procédés de la langue courante »[1]. La raison en est que l'argot n'est plus la langue secrète du « milieu » qu'il fut à ses origines, qu'il joue désormais un autre rôle, indiquant un rapport à la langue et, à travers elle, à la société.

Prenons l'exemple de l'Afrique francophone et de l'usage populaire du français. On y entend sans cesse des expressions inspirées de la politique au jour le jour (au Niger une *conjoncture* est une bouteille de bière dont le format a diminué à l'époque où le Président de la Répu-

1. Françoise Gadet, *Le français populaire,* Paris, PUF, 1992, p. 102.

blique avait fait un discours sur la conjoncture, mauvaise bien sûr..., et le langage populaire avait immédiatement baptisé cette bouteille *conjoncture*), des mots empruntés aux langues africaines (*daba* pour « houe » *poto poto* pour « boue », etc.), des néologismes français (*essencerie* pour « station-service », *douchière* pour « endroit où l'on prend sa douche », etc.) : il ne s'agit pas là à proprement d'argot mais d'appropriation du français, de la naissance d'un français populaire local face au français standard diffusé par l'école. On assiste cependant dans les grandes villes à l'émergence de formes argotiques, et nous allons en évoquer deux, l'une partant du français et l'autre du lingala (langue bantoue parlée au Zaïre et au Congo).

Jérémie Kouadio N'Gessan a décrit le « nouchi » d'Abidjan, forme linguistique à base française utilisée par les jeunes délinquants qui se caractérise par différents procédés (métaphore, métonymie, emprunts, variations syntaxiques...) mais qui sert surtout à indiquer l'appartenance à un groupe, ici un groupe d'âge : l'auteur souligne en effet « son extraordinaire expansion dans le milieu des jeunes (élèves, étudiants, délinquants) »[1].

L'indoubil de son côté, argot lingala utilisé à Kinshasa et Brazzaville, est certes à l'origine une forme cryptique, mais il est devenu « la manière de s'exprimer de l'homme de la rue des grandes villes, qui cherche à donner de la couleur, de l'imprévu, de la rapidité à sa parole, à lui conférer une certaine désinvolture propre à celui qui n'a point à se gêner devant ses pareils »[2].

1. Jérémie Kouadio N'Gessan, Le nouchi abidjanais, naissance d'un argot ou mode linguistique passagère ?, in *Des langues et des villes,* Paris, Didier Erudition, 1992, p. 374.

2. Eugène-André Ossette, Caractères sociologiques de l'argot lingala, in *Des langues et des villes,* Paris, Didier Erudition, 1992, p. 479.

Dans les deux cas, donc, c'est une fonction emblématique ou sémiologique qui prend le pas sur la fonction cryptique. Le fait de parler nouchi ou indoubil limite certes la communication avec ceux qui parlent français standard ou lingala standard (c'est la trace d'une fonction cryptique), mais il répond surtout à une volonté identitaire (et c'est la fonction emblématique). Cette dualité, ce couple fonctionnel dont l'un des termes l'emporte lentement sur l'autre, est caractéristique de la majorité des argots contemporains, parce que les conditions sociologiques ont changé : la « pègre » n'est plus aujourd'hui un milieu isolé et l'argot n'est plus le langage secret d'un groupe social particulier, d'une profession particulière.

## Chapitre V

# L'ARGOT ET LA LITTÉRATURE

> « Car, il faut bien le dire à ceux qui l'ignorent, l'argot est tout ensemble un phénomène littéraire et un résultat social. Qu'est-ce que l'argot proprement dit ? L'argot est la langue de la misère. »
>
> Victor Hugo.

Nous avons déjà souligné ce paradoxe qui fait qu'une production aussi typiquement orale que l'argot ne nous parvienne que sous forme écrite, sauf bien sûr pour une époque très récente. Ce ne sont pas ces sources de l'argot que nous allons ici présenter, mais l'utilisation de l'argot dans la littérature, et plus souvent de formes que l'on veut faire passer pour argotique. Les exemples abondent, dans les romans policiers bien sûr, mais aussi chez les poètes, de Jean Richepin à Léo Ferré ou Renaud en passant par Aristide Bruant, chez les romanciers, avec des fortunes diverses. Il existe aussi, sur le mode parodique, des « traductions » en argot de textes connus, qu'il s'agisse des *Fables* de La Fontaine, des Dix commandements, etc., comme on trouve de semblables traductions en langage pied-noir, etc. Mais ces traductions ne sont jamais qu'un exercice de style et ne constituent en rien de la littérature : il n'y a pas là création mais simplement adaptation.

Nous allons dans ce chapitre présenter cinq exemples d'utilisation de l'argot dans la littérature, qui chacun constituent un rapport particulier à la langue verte : ceux de François Villon, de Victor Hugo, de Céline, d'Alphonse Boudard et de San Antonio.

## I. — François Villon, l'utilisateur

Le poète François Villon (1431 - après 1463) a sans doute eu des relations avec une bande de malfaiteurs connus sous le nom de Coquillards. On trouve en effet dans une partie de son œuvre, les ballades dites « en jargon », un vocabulaire argotique sembable à celui des Coquillards. En fait, ces ballades posent un réel problème d'interprétation. Longtemps considérées comme hermétiques, elles ont été une première fois « traduites » par Armand Ziwes[1].

Voici les dix premiers vers de la première ballade :

A Parouard la grant mathegoudie
Ou accolez sont duppez et noirciz
Et par les anges suivans la paillardie
Sont greffiz et print cinq ou six
La sont befleurs au plus hault bout assis
Pour leuagie et bien hault mis au vent
Eschequez moy tost ces coffres massis
Car vendengeurs des ances circuncis
Sen brouent du tout a neant
Eschec eschec pour les fardis

On y trouve tout d'abord des mots qui furent révélés à la justice lors du procès des Coquillards de 1455 (voir chap. I) :

Ung *vendegeur* c'est un coppeur de bourses.

Ung *befleur* c'est ung larron qui attrait les simples (compaignons) a jouer.

1. *Le jargon de maître François Villon,* Paris, Editions Marcel Puget, 1954, 2 vol.

Et ce vocabulaire permet de supposer que ce texte, par ailleurs obscur, parle des Coquillards, ou de leurs pratiques. Voici la traduction que Ziwès a proposée de ces vers :

A Paris, la Grande Justice Royale
Où plusieurs sots pris au cou sont noircis par la bise
Entendez ceux qui se laissent agripper par les sergents qui poursuivent les paillards
Les larrons sont là, à l'étage supérieur
Pour mieux se balancer bien haut mis au vent
Evitez moi vite les cahots épais
Car les voleurs circoncis des oreilles
S'en vont tout à fait au néant
Gare ! gare à l'homme au chanvre.

Et, derrière cette traduction, il y a simplement l'hypothèse que Villon a écrit quelques poésies dans l'argot des Coquillards. Pierre Guiraud a pour sa part analysé ces ballades d'un point de vue très différent, postulant que s'y trouvent encodés trois niveaux de signification, destinés à trois publics différents, et impliquant donc trois sens superposés :

— Le sens A, qui utilise le vocabulaire de la Coquille, concerne le vol, la torture, le gibet... Guiraud baptise les ballades ainsi décryptées « Ballades de la Coquille », et sa traduction est assez proche de celle de Ziwès.

— Le sens B, qui concerne les tricheurs de cartes, nous donne les « Ballades des tireurs de cartes ».

— Le sens C, qui concerne la vie amoureuse, et surtout pédérastique, des truands-tricheurs, constitue les « Ballade de l'amour noir »[1].

Les dix vers ci-dessus vont donc être traduits trois

1. Pierre Guiraud, *Le jargon de Villon ou le Gai Savoir de la Coquille,* Paris, Gallimard, 1968.

fois. La première traduction (le niveau A) donne ceci :

> En parade voici le grand mariage du gibet
> Où les dupés sont pris au cou et suffoqués
> Ils sont saisis et pris, cinq ou six
> Par les servants, selon leur crime
> Là les pipeurs sont placés au plus haut bout
> Tout en haut dans la pluie et le vent
> Gardez-vous de la cambriole
> Car les voleurs circoncis des oreilles
> S'en vont complètement à néant
> Gare, gare à la corde.

La seconde traduction (le niveau B) concerne donc les joueurs de cartes :

> Pour le trichage c'est la réunion des joueurs
> Où mis ensemble sont les dupeurs et les dupés
> Que les compagnons selon leur spécialité
> Prennent et pressurent cinq par table
> Là les pipeurs sont assis au plus gros coup
> Pour être lessivés et ils sont bien nettoyés
> Mettez-moi à l'abri vos jabots bien remplis
> Car les tireurs assaillis par les bandes de tricheurs
> Y tirent tout jusqu'à leur dernière carte
> Gare gare au jabot bourré.

Reste le niveau C, et la traduction concernant la vie amoureuse :

> Pour le « nettoyage » c'est la réunion des baiseurs
> Où les sodomites sont accouplés à leurs dupes
> Et par les compagnons suppôts de la luxure
> Les dupes sont pris et pressés au séant par le sexe
> Là les fellateurs sont placés sur le plus haut bout
> Pour l'arrosagen et on les met à fond
> Mettez vite à l'abri vos postérieurs et vos gosiers
> Car les « épongeurs » retenus par les oreilles
> Ecument toute la sauce jusqu'au bout
> Gare, gare à l'embourage.

On voit que ces traductions présupposent un Villon très différent de celui de Ziwès : il ne s'agit plus ici d'écrire, par plaisanterie, dans l'argot de la Coquille, mais de travailler minutieusement la langue pour y dissimuler ces sens superposés.

Comme l'écrit Pierre Guiraud, « c'est une œuvre d'une prodigieuse complexité marquée au sceau de son époque et de son auteur »[1].

## II. — Victor Hugo, le mystificateur

Victor Hugo, grand pourvoyeur de fresques historiques et sociales, a toujours été fasciné par l'argot et *Les Misérables* regorgent de formules comme celles-ci qui, avec une force indéniable, témoignent d'une passion quasi tripale pour ce verbe forçat :

« Qu'est-ce que l'argot ? C'est tout à la fois la nation et l'idiome, c'est le vol sous ses deux espèces, peuple et langue. »

« L'argot est la langue de la misère. »

« L'argot, c'est la langue des ténébreux. »

« L'argot, c'est le verbe devenu forçat. »

« Certes, si la langue qu'a parlé une nation ou une province est digne d'intérêt, il est une chose plus digne encore d'attention et d'étude, c'est la langue qu'a parlé une misère. »

En fait, Hugo avait un rapport duel à l'argot, qui à la fois le fascinait et lui répugnait. Voulant par exemple en justifier l'emploi dans ses œuvres, il écrivait : « Depuis quand l'horreur exclut-elle l'étude ? Depuis quand la maladie chasse-t-elle le médecin ? Se figure-t-on un naturaliste qui refuserait d'étudier la vipère, la chauve-souris, le scorpion, la scolopendre, la tarentule, et qui les rejetterait dans leurs ténèbres en disant : Oh ! Que c'est laid ! Le penseur qui se détournerait de l'argot ressemblerait à un chirurgien qui se détournerait d'un ulcère ou d'une verrue. » On ne sau-

1. *Op. cit.*, p. 19.

rait être plus ambigu... Pour des raisons de couleur locale ou d'exotisme, il utilise fréquemment ce langage honni des bien-pensants, et ceci bien avant *Les Misérables,* avant même la description de la Cour des Miracles qu'il donne dans *Notre-Dame de Paris,* dès *Les derniers jours d'un condamné,* ouvrage publié en 1829 qui plaidait avec vigueur contre la peine de mort. Puisant sa documentation dans les *Mémoires* de Vidocq (1828), il semble souvent ne pas se satisfaire de la couleur locale ainsi créée et tient à montrer ses compétences lexicales et étymologiques. Ainsi, dans les dernières pages des *Misérables* consacrées à Gavroche, les notes abondent-elles. Dans sa manie du détail, il lui arrive même de préciser de quel « dialecte » vient le mot qu'il utilise. Ainsi *veuve* est glosée « corde » (argot du Temple) et *ma tortouse* « ma corde » (argot des barrières). Et il consacrera à l'argot tout le livre VII de la quatrième partie, quatre chapitres entiers (« Origines », « Racines », « Argot qui pleure et argot qui rit », « Les deux devoirs : veiller et espérer ») dont les deux premiers ont des titres aux allures très universitaires. En ce sens, il ne fut pas seulement utilisateur littéraire de l'argot, il voulut aussi en être descripteur et théoricien. Et, derrière des jugements de valeur discutables, il est vrai que l'on trouve souvent sous sa plume des formules que ne saurait renier le sociolinguiste. C'est la raison pour laquelle on aura trouvé en exergue à chacun des chapitres de ce livre une citation des *Misérables.*

Mais Hugo est parfois allé plus loin. Dans *Les Misérables* toujours, l'ancien forçat Montparnasse s'adresse à Gavroche en ces termes :

« Ecoute ce que je te dis, garçon, si j'étais sur la place avec mon dogue, ma dague et ma digue, et si vous me produisiez dix gros sous, je ne refuserais pas d'y goupiner, mais nous ne sommes pas le mardi gras. »

« Cette phrase bizarre produisit sur le gamin un effet singulier... »

Plus loin, l'auteur revient de façon très « pédagogique » sur ce passage :

« La phrase amphigourique par laquelle Montparnasse avait avertit Gavroche de la présence du sergent de ville ne contenait pas d'autre talisman que l'assonance *dig* répétée cinq ou six fois sous des formes variées. Cette syllabe dig, non prononcée isolément, mais artistement mêlée aux mots d'une phrase, veut dire : "Prenons garde, on ne peut plus parler librement." Il y avait en outre dans la phrase de Montparnasse une beauté littéraire qui échappa à Gavroche, c'est *mon dogue, ma dague et ma digue,* locution de l'argot du temple qui signifie *mon chien, mon couteau et ma femme...* »

L'ennui est qu'ici Victor Hugo invente, ce qui est son droit, mais qu'il va être cru sur parole par de nombreux auteurs de dictionnaires d'argot. *Dogue* (mot emprunté à l'anglais au XV^e^ siècle) et *dague* (attesté dès le XIII^e^ siècle) n'ont bien sûr rien d'argotique et appartenaient depuis longtemps au vocabulaire général. Mais *digue* pose un autre problème. On n'en trouve en effet trace dans aucun document argotique précédant la publication des *Misérables* : ni *Le jargon de l'argot réformé* au XVII^e^ siècle, ni la description de la Cour des Miracles que donne Henri Sauval en 1724 et dont s'inspire Hugo dans *Notre-Dame de Paris,* ni le lexique obtenu en 1800 lors du procès des Chauffeurs d'Orgères, ni le vocabulaire publié par Vidocq ne connaissent ce terme. En revanche, les ouvrages spécialisés semblent l'avoir découvert à partir de 1881. Commençons par les plus récents, pour mieux illustrer notre propos.

— En 1901, Aristide Bruant donne dans son *Dictionnaire français-argot* : « Femme, *digue.* »

— En 1898, Hector France dans son *Vocabulaire de la langue verte* donne : « *Digue,* prostituée, femme quelconque. »

— En 1896, on trouve chez Georges Delesalle *(Dictionnaire argot-français et français-argot)* le même sens avec un exemple qui enchaîne les trois termes : « Le costel a sa *dague,* sa *digue* et son *dogue.* »

— En 1889, Lorédan Larchey dans son *Nouveau supplément du dictionnaire d'argot* indique : « *Digue,* prostituée » et renvoie à l'article « Dague » où l'on trouve l'exemple suivant : « Maquignons, voleurs, assassins, ne sortent jamais sans avoir, comme ils disent, leur dague, leur dogue et leur digue », avec entre parenthèses une référence (Macé, 1888).

— En 1888, en effet, dans *Gibier de Saint-Lazare,* Gustave Macé écrivait : « Ce vilain monde fraternise, et maquignons, voleurs, assassins ne sortent jamais sans avoir, comme ils disent, leur dogue, leur dague et leur digue (chien, couteau, femme). »

— Et c'est finalement (ou plutôt originellement) en 1881 chez Lucien Rigaud *(Dictionnaire d'argot moderne)* que l'on trouve le début de cette série : « *Digue,* femme dans l'ancien argot du temple. Vieux mot fort usité parmi les pitres et les queues rouges du XVIIe siècle » (V. Hugo). Mais si Rigaud renvoie ainsi à Hugo, il ne dit pas qu'il lui emprunte beaucoup plus que le sens de digue. Si nous lisons en effet la fin du paragraphe cité plus haut, nous voyons que Rigaud a copié tout un segment de phrase :

« Il y avait en outre dans la phrase de Montparnasse une beauté littéraire qui échappa à Gavroche, c'est *mon dogue, ma dague et ma digue,* locution de l'argot du temple qui signifie *mon chien, mon couteau et ma femme,* fort usitée parmi les pitres et les queues rouges du Grand Siècle où Molière écrivait et où Jacques Callot dessinait. »

Les choses deviennent alors claires : Hugo s'est laissé emporter par ses assonances (*dis* garçon, *digue,* vous me pro*digu*iez *dix* gros sous...) pour inventer le mot *digue,* Rigaud l'a cru sur parole, Macé a copié Rigaud, Larchey a copié Macé et a été copié par Delesalle qui a été copié France qui a été copié par Bruant, etc. Et l'histoire est exemplaire en ce qu'elle montre comment la littérature peut parfois abuser la lexicographie. Car ce que j'appellerai l'*effet Hugo* ne s'arrête pas là. Voici par exemple quelques passages du chapitre « Racines » (de l'argot) des *Misérables* :

« Veut-on de l'espagnol ? Le vieil argot gothique en fourmille. Voici *boffette,* soufflet, qui vient de *fofeton, vantane,* fenêtre (plus tard vanterne) qui vient de *ventana, gat,* chat, qui vient de *gato*.... Veut-on de l'anglais ? Voici le *bichot,* l'évêque, qui vient de *bishop*...., pilche, étui, qui vient de *pilcher,* fourreau. Veut-on de l'allemand ? Voici le *caleur,* le garçon, *kellner,* le *hers,* le maître, *herzog* (duc)... Veut-on du basque ? Voici *gahisto,* le diable, qui vient de *gaiztoa,* mauvais... Veut-on du celte ? Voici *blavin*, mouchoir, qui vient de *blavet,* eau jaillissante..., *barant,* ruisseau, de *baraton,* fontaine, *goffeur,* serrurier, de *goff,* forgeron, la *guédouze,* la mort, qui vient de *guenn-du,* blanche-noire... »

Reprenons ces termes un à un :

*Bofette* n'apparaît dans aucune source avant ce texte de Hugo mais sera ensuite repris par Larchey, Delesalle, France et Bruant.

*Gat* est un mot dialectal qui n'a rien d'argotique, mais il sera repris par Larchey, Rigaud, Delesalle, France et Bruant qui le feront remonter selon le cas à l'anglais, l'espagnol et le provencal.

*Bichot* est aussi une invention de Hugo, que l'on retrouvera pourtant chez Larchey, Rigaud, Delesalle, France (« mot introduit probablement par quelque pickpocket, de l'anglais *bishop* ») et Bruant.

*Pilche* n'apparaît nulle part avant Hugo et sera pourtant repris par Larchey, Rigaud, Delesalle, France et Bruant.

*Caleur,* du normand *caleux,* « fainéant », désignait en français populaire le garçon d'un marchand de vin. Bruant lui donne ce sens, mais Rigaud et Delesalle reprennent le sens et l'étymologie fantaisistes de Hugo.

*Hers :* le mot apparaît déjà chez Rabelais et n'est argotique que dans l'esprit de Hugo, ce qui n'empêche pas Larchey, Rigaud, Delesalle, France et Bruant de le reprendre, en donnant des étymologies variées, latin *herus,* allemand *Herr* ou *Herzog...*

*Gahisto* est encore une invention de Hugo que reprennent pourtant Rigaud et Delesalle.

*Barant* n'apparaît nulle part avant Hugo mais sera repris par Rigaud, Delesalle, France et Bruant.

*Goffeur* est encore une invention de Hugo reprise par Larchey (« dérive évidemment du *goff* breton »), Delesalle, France et Bruant.

*Guédouze* est également inconnu en dehors de ce passage de Hugo (mais *gwen* et *du* signifient bien en breton « blanc » et « noir »). Larchey, Rigaud, Delesalle, France et Bruant le reprennent pourtant...

Au total, deux mots seulement de ce texte sont attestés avant Hugo, *vantane* (donné par les Chauffeurs d'Orgères et par Vidocq) et *blavin* qui apparaît souvent avec le sens de « mouchoir » mais n'a sûrement pas l'étymologie forgée par Hugo (il remonte plutôt à *bleu*). Mais il faudra attendre la vigilance de Lazare Sainéan (*Les sources de l'argot ancien,* 1912) pour que ces mots fantaisistes disparaissent des dictionnaires. Singulière destinée des fruits de l'imagination d'un romancier qui, pendant plus de trente ans, vont ainsi hanter les ouvrages spécialisés : bien souvent, hélas, les dictionnaires d'argot se copient ainsi les uns les autres sans vraiment vérifier leurs sources...

## III. — **Céline ou l'argot naturel**

Louis-Ferdinand Céline (1894-1961, de son vrai nom L.-F. Destouches) nous donne dans son œuvre l'exemple d'une langue très particulière que l'on a souvent qualifiée d'argotique. Mais, s'il y a chez lui ce que nous pourrions appeler un « style argotique », il ne se ramène pas à quelques mots plaqués ici et là dans un texte par ailleurs « littéraire », ou par un discours sur l'argot (comme chez Victor Hugo qui pratique à la fois ce placage et ce métalangage). Il se manifeste de façon plus générale dans la syntaxe, dans la structure des phrases : il coule dans le style de Céline quelque chose de la langue populaire, que l'on peut bien entendu montrer (absence du *ne* dans la négation, constructions « fautives », onomatopées...), mais qui, de façon plus large, se ramène à ceci : l'argot n'est pas, chez lui, de la couleur locale mais une langue dans laquelle coule la misère, la violence, la rudesse. Cette langue, la langue de Céline, est à la fois une fusion de différents registres, avec donc des ruptures de niveaux de langue, la transcription écrite d'une syntaxe orale et l'utilisation d'un vocabulaire argotique.

Nous allons illustrer cette langue avec trois extraits de *Mort à crédit,* mais toute l'œuvre de Céline regorge d'exemples semblables.

« Il était voyeur par instinct. Il paraît qu'elle avait des cuisses comme des monuments, des énormes piliers, et puis alors du poil au cul, tellement que ça remontait la fourrure, ça lui recouvrait tout le nombril... Il l'avait vue le petit Robert en plein moment de ses arcagnats... Elle s'en mettait du rouge partout et tellement que c'était sanglant, ça éclaboussait tous les chiots, toute sa motte en dégoulinait. Jamais on aurait supposé un foiron si extraordinaire. »...

On trouve ici des éléments lexicaux que l'on peut

qualifier d'argotiques *(arcagnats, chiots, foiron),* mais surtout une construction particulière (*ça remontait la fourrure* par exemple, avec la reprise du sujet après le verbe) et un ton particulier qui comptent autant que le vocabulaire dans la construction de cette langue.

De la même façon, dans l'extrait suivant, le vocabulaire est argotique *(condé, griffetons, louchebems, thune),* mais c'est encore le ton général, la syntaxe *(c'est facile qu'il m'a expliqué, pour que moi j'y aille...)* qui confèrent au passage un style.

« En plus il avait un condé pour se faire des sous. "C'est facile" qu'il m'a expliqué... Dès qu'on a eu plus de secrets. Dans le remblai du bastion 18 et dans les refuges du tramway devant La Villette, il faisait des petites rencontres, des griffetons qu'il soulageait et des louchebems. Il me proposait de les connaître. Ça se passait trop tard pour que moi j'y aille... Ça pouvait parfois rapporter une thune, parfois davantage. »

Enfin, dans notre dernier exemple, les relations entre le fond et la forme sont encore plus claires. Dire qu'il y a ici un vocabulaire argotique, une syntaxe populaire, des onomatopées, ne sert pas à grand-chose : il s'agit tout simplement de la langue des scènes de ménage dans un certain milieu social.

« Si ma mère l'interrompait, l'appelait qu'il descende, il recommençait à râler. Ils se butaient dans le noir ensemble, dans la cage étroite, entre le premier et le deuxième. Elle écopait d'un ramponneau et d'une bordée d'engueulades. Ta ! ga ! dam ! Ta ! ga ! dam ! Pleurnichant sous la rafale elle redégringolait au sous-sol compter sa camelote. "Je veux plus qu'on m'emmerde ! Bordel de Nom de Dieu ! Qu'ai-je donc fait au ciel ?..." La question vociférée ébranlait toute la cambuse. Au fond de la cuisine étroite, il allait se verser un coup de rouge. On pipait plus. Il avait sa tranquilité. »

Il y a donc chez Céline une subversion *de* la langue

et une subversion *par* la langue. L'auteur vomit la société, et cela s'entend autant que cela se comprend : il est le meilleur illustrateur en littérature de ce que j'ai appelé les couleurs de l'argot.

### IV. — Alphonse Boudard, le noteur

Boudard a un rapport tout à fait différent à l'argot, que sa biographie explique largement : ce romancier contemporain a en effet, à un certain moment de sa vie, fait de la prison.

Il se tient au courant, suit les mouvements du lexique, les comprend de l'intérieur, ce qui le mènera à rédiger une parodie de la méthode Assimil, *La méthode à Mimile*[1].

Sa connaissance intime de l'argot et son esprit d'observation en font ainsi une sorte de lexicographe qui, parfois, explique au lecteur le sens des mots qu'il utilise :

« Ça te fait du 20 % de velours. Du velours ça veut dire bénéfice... comme un mot de passe. Ça sert à ça la langue dite verte, à vous signifier que vous êtes en terrain malfrat » *(L'éducation d'Alphonse)*.

« Je m'aperçois qu'il faut que j'explique... un mot d'argot tombé dans l'oubli... C'était les fortifs, les lafs..., les fortifications autour de Paris, qui furent détruites dans l'entre-deux-guerres. Là que tous les voyous se retrouvaient à la nuit tombante... leur royaume. Ça tringlait la gigolette sur les lafs... dans l'herbe miteuse... ça s'expliquait au cran d'arrêt *entre hommes* » *(Cinoche)*,

ou la façon dont il a été formé :

« Berlurer, le mot idoine. Je vous l'explique au passage... vous dites avoir la berlue... c'est-à-dire se faire

1. Alphonse Boudard et Luc Etienne, *L'argot sans peine, la mémoire à Mimile,* Paris, La Jeune Parque, 1970.

une idée fausse, une illusion... voilà... le verbe ! Je me berlure pour deux raisons... » *(L'éducation d'Alphonse)*.

Parfois encore il fournit le paradigme dans lequel s'inscrit un terme :

« Il faut que je vous ramène, mille excuses, au ballon, n'est-ce pas... au gnouf, en prison, en carluche ! J'y traînais alors mes guêtres... mon postérieur sur le banc des infamies. Je vous replace... 1950... un bel été qui s'annonçait... Le ciel entre les barreaux sans nuages ! Cellule 206, je me vautrais sur ma paillasse. Deuxième étage, deuxième division... Fresnes les Rungis, j'y reviens, j'y fus en quelque sorte en résidence secondaire des années ! » *(Le banquet des léopards)*.

Certes Alphonse Boudard n'est pas le seul écrivain à donner ainsi dans ses livres des « leçons d'argot ». Nous avons vu que c'était le cas de Victor Hugo, c'est aussi celui de Balzac :

« L'argot va toujours, d'ailleurs ! il suit la civilisation, il la talonne, il s'enrichit d'expressions nouvelles à chaque nouvelle invention. La pomme de terre, créée et mise au jour par Louis XVI et Parmentier, est aussitôt saluée par l'argot d'*orange à cochons.* On invente les billets de banque, le bagne les appelle des *fafiots garatés,* du nom de Garat, le caissier qui les signe. *Fafiot !* n'entendez-vous pas le bruissement du papier de soie ? Le billet de mille francs est un *fafiot mâle,* le billet de cinq cents un *fafiot femelle.* Les forçats baptiseront, attendez-vous-y, les billets de cent ou dc dcux cents francs de quelque nom bizarre. »

En 1790, Guillotin trouve, dans l'intérêt de l'humanité, la mécanique expéditive qui résout tous les problèmes soulevés par le supplice de la peine de mort. Aussitôt les forçats, les ex-galériens, examinent cette mécanique placée sur les confins monarchiques de l'ancien système et sur les frontières de la justice nouvelle, ils l'appellent tout à coup l'*Abbaye de Monte-à-Regrets* ! Ils étudient l'angle décrit par le couperet d'acier, et trouvent, pour en peindre l'action, le verbe *faucher* ! Quand on songe que le bagne se nomme le *pré,* vraiment ceux qui s'occupent de linguistique doivent admirer la création de ces affreux *vocables,* eût dit Charles Nodier » *(La dernière incarnation de Vautrin).*

Mais on a sans cesse l'impression que ces romanciers veulent faire la preuve de leur compétence, veulent faire croire qu'ils ont fréquenté de près le milieu, les voleurs, et qu'ils ont acquis de leur bouche leurs rudiments d'argot. Boudard, lui, n'a rien à prouver : il se contente d'écrire comme il a toujours parlé. Les seuls équivalents de cette œuvre dans la littérature contemporaine sont Auguste Le Breton (*Le rouge est mis, Razzia sur la schnouf, Du rififi chez les hommes,* etc.) et, dans une moindre mesure, Albertine Sarrazin *(L'astragale),* deux auteurs qui eux aussi ont vécu la misère des argotiers et expriment leur violence, leur révolte, leur désarroi parfois face à la société.

Les romans de Boudard, qui alimentent les dictionnaires récents en termes argotiques, sont également intéressants par leur syntaxe. On y trouve en effet une profusion de structures comme celles que nous avons signalées au chapitre précédent, la tendance à utiliser des adjectifs en fonction adverbiale :

« Pour peu qu'on sache se driver, manœuvrer habile parmi les récifs. ».

« Ça vous avance déjà sérieux tous les problèmes. »

« Il vire l'ancien Premier ministre venu spécial, en lousdoc, le consulter. »

« Même les poulagas ils ont rangé définitif son dossier. »

« Je l'avais assez vu... savouré copieux son potentiel poétique. »

(Exemples tirés du *Banquet des léopards.*)

On y trouve aussi de nombreux exemples de la finale des verbes en *-arès,* etc.

Pour toutes ces raisons, il est sans conteste, aujourd'hui, la plume de l'argot.

### V. — San Antonio, l'inventeur

Frédéric Dard a publié, sous le pseudonyme de San Antonio, de nombreux romans policiers dont la caractéristique principale réside dans son inventivité lexicale. On trouve, certes, dans ses livres du vocabulaire argotique, comme dans ce passage :

« Ordinairement, j'essayais de m'esbigner en loucedé, mais m'man était si désemparée en me voyant mettre les adjas que j'avais de moins en moins le courage de l'abandonner entre les griffes d'Hector » *(Fleur de nave vinaigrette).*

Mais, le plus souvent, il se laisse aller à une créativité linguistique débridée qui ravit ses lecteurs sans pour autant marquer durablement la langue :

« Elle fait à dada sur le zifollet d'un des gars, tandis qu'elle se laisse pratiquer le coup du taille-crayon aux nichebés par une gonzesse et qu'elle agite avant de s'en servir le bec verseur du second petit julot ; cependant que la deuxième gamine, assise en tailleuse devant elle, lui montre sa tirelire à crinière tout en s'y prodiguant un léger solo de médius » *(Champagne pour tout le monde !).*

Il joue avec les formules, les trouvailles, les zeugmes :

« La bagnole possédait une carrosserie italienne. La fille aussi, probablement » ;

ou encore :

« Il pousse des cris d'or frais, d'orfèvre, d'orvet, de tout ce que tu voudras » *(Champagne pour tout le monde).*

Il invente des proverbes ou des locutions faussement populaires :

« L'honneur c'est comme des coquilles Saint-Jacques, Gros : bien lavées ça ressert » *(Fleur de nave vinaigrette)*.

« Perdre la tête est la meilleure façon de prendre son pied » *(Baise-ball à La Baule)*.

Il jongle avec les néologismes, comme « Va falloir go-homer à pince », les à-peu-près :

« Elle raffole du "Bouc Commissaire", de "La Charrette du laitier", de "Madame la Comtesse monte en amazone", de "Maudire et lécher ferme", de "Les flammes s'avancent", de "Cinzano de Bergerac", de "La Sartreuse de Charme", de "Vodka en femme", de "Madame Baud varie" et d'encore quelques bricoles de moindre importance » *(Baise-ball à La Baule)*,

ou encore :

« Je t'aime, un pneu, boy-scout, passivement, ras-du-cou. »

Et ces à-peu-près sont souvent mis dans la bouche de Bérurier, afin de mieux souligner sa pratique approximative de la langue française : « station baleiniaire », « toute pelle mérite sa lèvre », « mes rois mages, chère madame », « c'est l'abbé Résina », etc.

En bref, San Antonio fait feu de tout bois, mais l'argot joue une part limitée dans ses textes : il ne l'utilise pas, il le réinvente, le recrée, en donne l'illusion.

Nous aurions pu citer bien d'autres auteurs, de ceux qui, comme Jean Genet, ont connu la prison et y ont acquis l'argot, ou de ceux qui, comme le poète Jehan Rictus, le simulent, écrivent « populaire » et « argotique » pour traduire leurs sentiments. Mais ils n'auraient rien apporté de plus à la typologie que nos cinq auteurs nous ont permis de faire. Car on voit qu'entre eux les différences sont fondamentales. Villon ne parle jamais de l'argot, il le parle, ou plutôt l'écrit, là où Boudard, à cheval entre deux mondes, est en même temps à cheval sur deux pratiques : il pratique l'argot et l'observe en même temps, notant scrupuleusement les évolutions, les variations de la langue verte. Victor Hugo de son côté se veut grand reporter, se penchant comme un scientifique sur une langue qu'il trouve hideuse mais fascinante, tandis que San Antonio ne se pose aucun de ses problèmes puisqu'il invente, avec une joie communicative. Seul Céline, peut-être, accomplit un réel travail littéraire : il *écrit* une langue parlée, là où Boudard la *transcrit*...

Il reste que cette présence de l'argot dans la littérature témoigne aussi de son changement de fonctions. Pierre Guiraud a noté que, « à partir du milieu du XIXe siècle, et à mesure que l'argot — l'argot usuel — se vulgarise pour tomber dans la langue populaire, il offre un moyen d'expression original à des écrivains étrangers au *milieu* »[1]. C'est bien de cela qu'il s'agit : les chansons de Renaud par exemple, ou celles d'Aristide Bruant au début du siècle, ne sont pas l'expression de poètes ayant fréquenté le Milieu, mais l'expression de poètes disposant de l'argot dans leur palette linguistique, ce qui prouve bien qu'il est tombé dans le domaine public. Et cette publicité de l'argot témoigne d'une mutation sociologique importante : le Milieu n'est plus fermé, son code n'est plus limité à quelques groupes fermés, à quelques lieux, et l'argot prend désormais racine dans la créativité populaire.

Mais tout ceci ne doit pas nous faire oublier le prin-

1. Pierre Guiraud, *L'argot,* Paris, PUF, 1956, p. 111-112.

cipal : l'argot, comme toutes les pratiques de communication linguistique, est avant tout un phénomène oral, et c'est donc dans l'oralité qu'il faut le saisir, même si, nous l'avons vu, il a souvent alimenté la littérature, et si les sources anciennes dont nous disposons sont, bien sûr, toutes écrites.

## CONCLUSION

Dans son « Essai d'une théorie des langues spéciales », A. Van Gennep insistait sur le fait qu'il convient de ne pas considérer comme choses différentes ce que nous appelons d'une part des argots et ce que nous considérons d'autre part comme des langues « sacrées » :

« Il n'existe aucune différence de principe entre la langue de métier moderne et telle langue sacrée demi-civilisée : seulement le caractère spécial linguistique n'affecte pas les mêmes catégories sociales que chez nous. »[1]

Ainsi langues de religion, langues d'initiation, langues de femmes, langues des enfants, langues de minorités, langues de métiers, constituaient pour lui des cas particuliers d'un phénomène général, celui des « langues spéciales ». L'adjectif qu'il utilisait, *spécial,* n'est sans doute pas le meilleur et on pourrait lui préférer *spécifique.* Mais ce qui importe ici est que la spécificité de ces langues est sociale avant que d'être linguistique.

— Si la religion catholique a longtemps utilisé le latin comme langue liturgique (et l'on peut dire la même chose de la fonction religieuse du sanscrit, de l'arabe classique, du vieux-slave, etc.), c'est bien sûr pour des raisons à la fois historiques et sociologiques. En particulier, il n'y a aucun lien de nécessité

1. A. Van Gennep, Essai d'une théorie des langues spéciales », *Revue des études ethnologiques et sociologiques de Paris,* Paris, 1908 ; republications Paulet, Paris, avril 1968, p. 3.

entre le latin et la liturgie catholique (la preuve en est d'ailleurs que la messe est aujourd'hui le plus souvent dite en langue vernaculaire), et les partisans de la messe en latin le sont pour des raisons idéologiques et sociologiques.

— Si les bouchers ont développé un argot à clef, le *louchebem,* c'est à la fois pour ne pas être compris des clients et pour assurer la spécificité, la cohérence de leur corporation : fonction cryptique et fonction identitaire convergent ici.

— Si les adolescents français, en particulier les enfants de migrants, ont réinvesti le verlan et l'utilisent de façon courante, c'est, nous l'avons vu, pour marquer leur spécificité, à la fois en termes de génération, face aux adultes, et en termes « ethniques », « beurs » et « blacks » se situant ainsi face à ceux qu'ils nomment les « gaulois » : la forme linguistique assure ici une fonction identitaire évidente.

Nous pourrions ainsi multiplier les exemples qui nous montreraient tous la même chose : derrière l'exotisme des argots ou des « langues spéciales » que l'on peut prendre plaisir à décrypter et à décrire, il y a toujours des situations sociales qui en expliquent l'émergence, et les changements dans ces situations ont des retombées sur la fonction et la forme de ces argots. Or cette forme, nous l'avons vu, ne peut pas être décrite de façon indépendante : l'argot est aussi *la* langue.

Il est *la* langue dans la mesure où il l'alimente quotidiennement de mots, de formules. Qui se souvient aujourd'hui que *amadouer, abasourdir, arlequins, camelot, cambrioleur, chantage, dupe, fourbe, gueux, jargon, mouchard, pègre, polisson, roulotte, truc* et bien d'autres encore sont, à l'origine, des mots argotiques ? Et cette *circulation* constante des formes argotiques vers le français populaire et le français standard nous montre qu'un locuteur dispose d'une compétence unique qui lui permet de comprendre et de produire des énoncés que, selon les cas, l'on classera comme argotiques, populaires ou standard.

L'argot est aussi *la* langue dans la mesure où il utilise les mêmes procédés de création que la langue commune. Ce que j'ai appelé par exemple des *matrices sémantiques* n'est nullement limité à l'argot. A côté des exemples de l'argent (égalé à la nourriture), de la chance (égalée à l'anus et à l'homosexualité) ou du proxénète (égalé à un poisson) que nous avons développés, nous pourrions évoquer les matrices sémantiques qui, dans la langue commune, président à la création des noms des animaux tachetés (la grive, la caille, le marcassin, le maquereau, la pintade, etc.), ou les matrices onomatopéiques qui président par exemple à la création de mots en T-K (tic, toc, taquin, toquer, etc.)[1]. Encore une fois, l'argot utilise les mêmes procédés que la langue dont il dérive, mais il les met au service de fonctions différentes.

Et ceci nous mène à poser une problématique plus générale et plus théorique. On sait que la linguistique dite « variationniste » distingue entre ce qu'elle appelle une *variable* et ce qu'elle appelle des *variantes*. Une variable est un champ de dispersion, l'ensemble des possibilités de réalisation d'une forme linguistique, d'une structure, d'un son. Et chacune de ces réalisations est une variante. Prenons un exemple lexical, celui de la *serpillière,* que l'on nomme selon les régions la *panosse* (en Savoie et en Suisse), la *wassingue* (dans le Nord), le *torchon* (dans l'Est), la *since* (dans le Sud-Ouest), etc. Ces différentes appellations constituent des variantes, ici géographiques, et leur ensemble (ser-

1. Voir sur ces points l'ouvrage de Pierre Guiraud, *Structures étymologiques du lexique français*, Paris, Payot, 1986.

pillière + panosse + wassingue + torchon + since, etc.) constitue une variable. Mais si la différence entre *panosse* et *wasssingue* est essentiellement géographique, il n'en va pas de même des différences entre par exemple les mots *épouse, femme, meuf, gonzesse, nénette,* etc. La variable est ici sociale et ces variantes peuvent être entendues au même point géographique mais dans des bouches différentes ou avec des fonctions différentes.

Car nous pouvons considérer la langue dans son ensemble comme une immense variable et ses différentes formes comme des variantes, l'argot étant l'une de ces variantes, ce qui revient à dire que l'argot n'existe pas comme forme isolée, qu'il n'est qu'une certaine réalisation d'une forme générale. Il nous faut ici revenir à la notion d'écart ou de différence, et rappeler que plus un groupe est différent de la moyenne, ou du groupe dominant, plus la forme linguistique qu'il utilise sera différente de la forme moyenne ou de celle du groupe dominant (ce que Pierre Bourdieu appelle la *forme légitime*). En ce sens, l'utilisation de formes dites argotiques est une façon de se situer par rapport au pouvoir à travers la langue légitime qui en est un des symboles. J'ai indiqué ailleurs[1] que les variations dont nous parlons sont déterminées par trois paramètres, un paramètre social, un paramètre géographique et un paramètre historique, et que la langue connaît des variations dans ces trois axes : des variations diastratiques (celles qui concernent les groupes sociaux), des variations diatopiques (liées aux lieux) et des variations diachroniques (liées au temps et aux différences entre les classes d'âge).

1. Louis-Jean Calvet, L'argot comme variation diastratique, diatopique et diachronique (autour de Pierre Guiraud), in *Langue française*, n° 90, mai 1991, p. 40-52.

L'utilisation de la langue est donc une façon de se situer dans ces trois axes, une façon de revendiquer son appartenance à un groupe social, à un lieu ou à une classe d'âge. C'est de ce point de vue qu'il faut analyser l'assimilation par la langue des néologismes argotiques et les résistances de la norme à ces néologismes. La circulation des innovations trace en effet la frontière entre ce qui est admissible et ce qui ne l'est pas, admissibilité qu'il faut entendre au sens social et au sens linguistique. Le fait par exemple qu'une partie du vocabulaire argotique passe dans le lexique général témoigne d'une acceptabilité sociale : la norme accepte de s'ouvrir à des mots nés dans des sphères qui se définissent contre elle, la langue légitime accepte des mots illégitimes, comme la bourgeoisie peut accepter de reconnaître des enfants illégitimes. Mais, lorsque des innovations syntaxiques (comme les usages intransitifs des verbes *craindre* et *assurer* que nous avons signalés) passent du domaine argotique au domaine général, ce passage témoigne d'une autre type d'acceptabilité, purement linguistique celle-ci : la langue peut ou ne peut pas intégrer de telles structures, selon qu'elles mettent en question ou pas l'ensemble de son système. L'enjeu est alors tout différent, il porte au bout du compte sur la survie du système.

Ainsi l'*innovation,* la *variation* et l'*acceptabilité* sont au centre d'une problématique qui concerne l'avenir de la langue et des langues. Tant qu'une langue peut intégrer l'innovation, elle se transforme, elle évolue. Lorsqu'elle la refuse, lorsque ses structures ne peuvent supporter un certain degré de variation, elle se sépare de la forme repoussée par la norme qui peut alors devenir le noyau d'une évolution parallèle, d'une sorte de dédoublement. Le français d'Afrique auquel nous avons fait allusion constitue pour l'instant une variante du français, mais il pourrait à terme devenir le point de départ d'une évolution vers une autre langue, issue du français.

De ce point de vue, les formes argotiques ne sont pas en situation de constituer une nouvelle langue : elles changent trop vite, sont intégrées par la langue commune ou disparaissent. Et l'argot s'intègre donc, comme nous l'avons dit plus haut, dans un continuum de compétences. Un locuteur a en général la possibilité de produire différentes formes qui seront selon les cas (et selon l'interlocuteur) classées comme acceptables ou inacceptables, comme recherchées, populaires ou argotiques. C'est de ce point de vue qu'il faut analyser la disparition de l'argot au sens classique du terme (langue secrète du Milieu, etc.), l'effacement progressif de sa fonction cryptique, au profit de ce que nous pourrions appeler une fonction *identitaire*. Dans la communication, le contenu apparent, dénoté, passe alors au second plan, derrière le contenu latent, connoté, et un syntagme comme *laisse béton,* s'il dénote ce qu'il dit (« laisse tomber »), connote en même temps tout ce qu'il y a derrière le choix de parler verlan : la quête d'une identité, d'une culture interstitielle (au sens où l'entendaient les sociologues de l'Ecole de Chicago), le refus de la langue légitime et, derrière elle, de l'école, des adultes, de la société... Nous avons rappelé à la fin du chapitre I ce passage de Gaston Esnault : « Nous classons "populaires" les mots des groupes non dangereux, "voyous" ceux des groupes qui tentent aux méfaits. Mais la cloison est amovible. » Or on peut se demander si cette cloison séparait pour lui les mots « populaires » des mots « argotiques », ou les « groupes non dangereux » des « groupes qui tendent aux méfaits ». La question n'a rien de rhétorique, elle porte en fait sur la définition de la communauté linguistique. Dans un ouvrage consacré à la présentation de la sociolinguistique, j'ai suggéré que « l'objet d'étude de la linguistique n'est pas seulement la langue ou les langues, mais la communauté sociale sous son aspect linguistique »[1]. Cette communauté, qui comprend aussi bien des « groupes non dangereux » que des « groupes qui tendent aux méfaits » (pour utiliser les formules d'Esnault, même si ce vocabulaire est bien désuet), se caractérise par son rapport à la langue, par le fait que, comme l'a écrit William Labov, ses membres partagent les mêmes normes quant à la langue. L'argot, comme les autres formes linguistiques, est soumis à ces normes, et son utilisation relève d'une prise de position sociale. Un locuteur utilisant l'argot peut ne dominer que cette variante du français (c'est-à-dire qu'il n'a pas le choix) ou peut en dominer d'autres et choisir alors consciemment cette variante, mais dans les deux cas il sait qu'il se situe ainsi d'une certaine façon face à la « langue légitime », qu'il la domine ou pas.

Pierre Guiraud avait bien senti cela lorsqu'il parlait de l'argot comme *signum social* :

« Tout langage est signe ; comme le vêtement ou la coiffure, comme les formules de politesse ou les rites familiaux, il nous identifie : bourgeois ou ouvrier, medecin ou soldat, paysan ou commerçant, etc.

« Lorsque ces comportements deviennent conscients et voulus, lorsque par eux l'individu affirme, voire affiche et revendique son appartenance à un groupe, ils deviennent ce qu'il est convenu d'appeler, et ce que nous appellerons, un *signum,* signum de classe, de caste, de corps.

« Ceci est l'essence de tout argot au sens moderne du mot. »[2]

1. Louis-Jean Calvet, *La sociolinguistique,* « Que sais-je ? », n° 2731, Paris, 1993, p. 90.
2. Pierre Guiraud, *L'argot,* Paris, PUF, 1956, p. 97.

Mais Guiraud n'avait comme moyen d'analyse que la linguistique des années cinquante et la sémiologie naissante, il ne disposait pas à l'époque de la sociolinguistique, de l'approche variationniste, il ne connaissait pas non plus (ou du moins n'utilisait pas) l'approche sociologique développée par l'Ecole de Chicago. C'est en cela, et en cela seulement, que ce livre qui remplace son « Que sais-je ? » publié voici trente-sept ans peut prétendre à l'innovation. Pour le reste, il se situe exactement sur les mêmes positions et dans la même direction analytique, car Guiraud a fait preuve dans son approche de l'argot d'une intuition remarquable et d'un sens linguistique aigu.

# BIBLIOGRAPHIE


Alphonse Boudard et Luc Etienne, *L'argot sans peine, la mémoire à Mimile,* Paris, La Jeune Parque, 1970.

Louis-Jean Calvet, L'argot comme variation diastratique, diatopique et diachronique (autour de Pierre Guiraud), in *Langue française,* n° 90, mai 1991.

Jacques Cellard et Alain Rey, *Dictionnaire du français non conventionnel,* Paris, Hachette, 1980 ; nouv. éd. augmentée, 1991.

Jean-Paul Colin et Jean-Pierre Mével, *Dictionnaire de l'argot,* Paris, Larousse, 1990.

Alfred Delvau, *Dictionnaire de la langue verte,* Paris, Flammarion, 1883.

Gérard Dumestre, L'argot bambara : une première approche, *Mandenkan,* n° 10, Paris, INALCO, 1985.

Gaston Esnault, *Dictionnaire historique des argots français,* Paris, Larousse, 1965.

Denise François, Les argots, in *Le Langage,* Encyclopédie de la Pléiade, Paris, 1968.

Françoise Gadet, *Le français populaire,* Paris, PUF, 1992.

Pierre Guiraud, *L'argot,* Paris, PUF, 1956.

Pierre Guiraud, *Le jargon de Villon ou le Gai Savoir de la Coquille,* Paris, Gallimard, 1968.

Pierre Guiraud, *Structures étymologiques du lexique français,* Paris, Editions Payot, 1986 (1re éd., Larousse, 1967).

Jérémie Kouadio N'Gessan, Le nouchi abidjanais, naissance d'un argot ou mode linguistique passagère ?, in *Des langues et des villes,* Paris, Didier Erudition, 1992.

Jean Lacassagne et Pierre Devaux, *L'argot du milieu,* Paris, Albin Michel, 1948.

Jonathan Lighter, The Slang of American Expeditionary Forces in Europe, 1917-1919, in *American Speech,* Spring-Summer 1972, Columbia University Press, 1975.

Loredan Larchey, *Dictionnaire historique d'argot,* Paris, Dentu, 1878 ; republié en 1982, Jean-Cyrille Godefroy éd., Paris.

Loredan Larchey, *Nouveau supplément du Dictionnaire d'argot,* Paris, Dentu, 1889.

Françoise Mandelbaum-Reiner, Secrets de bouchers et *largonji* actuel des *louchébèm,* in *Langage et société,* n° 56, juin 1991.

Viviane Mela, Parler verlan : règles et usages, in *Langage et société,* n° 45, septembre 1988.

Jean Monod, Des jeunes, leur langage et leurs mythes, *Les Temps modernes,* n° 242, juillet 1966.

Alfred Niceforo, *Le génie de l'argot,* Paris, Albin Michel, 1948.
Dominique Noye, *Un cas d'apprentissage linguistique : l'acquisition de la langue par les jeunes Peuls du Diamaré,* Paris, 1971.
Eugène-André Ossette, Caractères sociologiques de l'argot lingala, in *Des langues et des villes,* Paris, Didier Erudition, 1992.
Jean Pauchard, Rhyming slang : la rime et la frime, in *Etudes anglaises,* 1981, t. 34, n° 3.
Lazare Sainéan, *Les sources de l'argot ancien,* Paris, 1912 ; rééd. Slatkine Reprints, Genève, 1973.
Géo Sandry et Marcel Carrère, *Dictionnaire de l'argot moderne,* Paris, Aux Quais de Paris, 1957.
Albert Simonin, *Le petit Simonin illustré,* Paris, Les Productions de Paris, 1959.
A. Van Gennep, Essai d'une théorie des langues spéciales, *Revue des études ethnologiques et sociologiques de Paris,* Paris, 1908 ; republications Paulet, Paris, avril 1968.
A. Youssi, Les parlers secrets, in *Linguistique et sémiotique,* Rabat, 1976.

# INDEX DES MOTS ET EXPRESSIONS CITÉES

On ne trouvera ici que les exemples pris en argots français, à l'exclusion des différents autres argots évoqués

# TABLE DES MATIÈRES

Imprimé en France
Imprimerie des Presses Universitaires de France
73, avenue Ronsard, 41100 Vendôme
Mars 1999 — N° 45 997